Golygydd Menna Elfyn

O'R IAWN RYW

BLODEUGERDD O FARDDONIAETH

Cerddi **Honno**

Cyhoeddwyd gan Honno
'Ailsa Craig' Heol y Cawl Dinas Powys
De Morgannwg CF6 4AH

Argraffiad cyntaf 1991
© *y cyfranwyr* ⓗ, *1991*

Mae cofnod catalogio'r gyfrol hon ar gael
yn y Llyfrgell Brydeinig

ISBN 1 870206 11 8

Llun y clawr gan Ann Lewis
Dyluniwyd gan Ruth Dineen

Cysodwyd gan Megaron, Caerdydd
Argraffwyd gan Wasg John Penry, Abertawe

CYDNABYDDIAETHAU

Awen, Barn, Golwg, Rhaglen HTV *Graffiti, Talwrn y Beirdd* a *Border Country* (golygydd
David Hart) am gyhoeddi rhai o'r cerddi a geir yn y gyfrol.
Diolch i'r Cyngor Llyfrau Cymraeg hefyd am bob cymorth ac i Nesta Wyn Jones
am ei gwaith golygyddol a'i hawgrymiadau gwerthfawr.
Hefyd i HONNO am ei brwdfrydedd a'i hegni parhaus.

Wrth fwrw golwg yn ôl dros hanes llenyddiaeth, gallwn weld na chafodd merched yr un cyfle â dynion, ac na chawsant eu hannog yn yr un modd i ganu mewn unrhyw ddull cyhoeddus. Rhaid cofio er gwaetha'r diffyg anogaeth bod merched amrywiol iawn wedi llwyddo i greu barddoniaeth sydd hefyd yn amrywiol iawn ei naws. Mae'n bwysig pwysleisio hynny gan mai edrych ar y priodoleddau amrywiol hynny yng nghanu merched yw un o gynseiliau ffeminyddiaeth. Wedi'r cyfan, nid un gwelediad a geir gan ferched rhagor na disgwyl un gwelediad gan ddynion. Onid bodau tra gwahanol ydym ar wahân i'n rhyw/cenedl? Ac eto ceisiodd patriarchiaeth briodoli i'r ferch gyflyrau cyfyng a chysact, yr Efa ddrwg neu'r Fair ddaionus.

'Am wragedd ni all neb wybod', meddai Saunders Lewis[1] a cheir cerdd ar y testun yn y gyfrol hon (t.28) Ac eto ni fu pall ar ddyheadau a disgwyliadau dynion wrth ysgrifennu am y ferch a'u bydolwg hwy ohoni. Ymgais yw'r gyfrol hon i gynnwys barddoniaeth gan ferched a chanddynt fydolwg tra gwahanol i'r un a gyflwynwyd mewn barddoniaeth ar hyd yr oesoedd. Cais y beirdd a gynhwysir yma fynegi rhai o'u profiadau hwy fel merched. Diau, y gwelir ambell gerdd yn herio'r drefn sy'n bodoli. Ac onid cyffroi yw un o nodweddion barddoniaeth ar hyd yr oesoedd a chyflwyno'r llais yna, chwedl Octavio Paz, 'sy'n ceisio dweud rhywbeth gwahanol, o hyd ac o hyd'.[2] Anhawster y ffeminydd heriol yw ei bod am ddangos y gall pethau fod yn wahanol, ac y gellir dileu'r gwahaniaethau sy'n creu byd mor anghyfartal rhwng dynion a merched ac ar yr un pryd *am* bwysleisio'r gwahaniaethau sy'n bodoli er mwyn eu dileu.

Yn wahanol i'r flodeugerdd *Hel Dail Gwyrdd*,[3] aed ati yn y gyfrol hon i gasglu cerddi a oedd yn dangos yn glir fydolwg y ferch a'i gwahanol agweddau, gan barchu ar yr un pryd yr egwyddor mai lluosog yw meddylfrydau'r ferch. Erbyn heddiw ceir beirniadaeth ffeminyddol doreithiog sy'n cydnabod dilysrwydd profiadau unigryw merched. Geino-feirniadaeth yw'r enw a roir ar y math hwn o feirniadaeth sy'n gweld profiadau megis hysterectomi, esgor, a misglwyf fel profiadau arbennig ym mhrofiad y ferch. Nid syn felly yw gweld yma rai cerddi am brofiadau penodol, er enghraift 'Y misglwy' ola' ' (t.23) a 'Misglwyf/mis-y-clwyf' (t.85).

Ond erbyn heddiw, cydnabyddir nad yw rhyw na chenedl yn pennu un math o ysgrifennu; gellir goresgyn ffiniau rhyw a chenedl a chynhyrchu gwaith y gellid bod wedi ei greu gan ferch neu gan ddyn. Nododd Hélène Cixous ei bod am chwyldroi termau fel gwrywaidd a benywaidd ac yn eu lle osod cyflwr arall sef cyfunrywioldeb amgen.[4] Cynsail y cyflwr hwn yw lluosogedd, y bythol-gyfnewidiol a'r amrywiol. Nid dileu gwahaniaethau a wna ond eu cyffroi, eu hamlhau a'u hymlid. Ystyrier y canu newydd a geir gan ddynion sy'n feirdd yn y Gymru gyfoes. Onid canu felly a gafwyd gan Brifardd Eisteddfod Cwm Rhymni 1990 a cherddi Iwan Llwyd sy'n tystio i'r angen am ganu â llais merch?[5] A beth am gerdd Steve Eaves 'Mami ddrwg' a fynn gyffroi ymwybyddiaeth o ormes merched?[6] Nid beirdd sy'n gweld eu hunain fel proffwydi mo'r rhai hyn, ond rhai a ymuniaetha â'r profiad a fu yn 'unigedd-tir-merched ddoe'. Onid fel hyn y crëir traddodiad newydd yn ei holl ogoniant?

Wrth edrych ar gerddi'r gyfrol gwelwyd nifer o themâu'n ymffurfio. Yn lle eu categoreiddio fesul thema fe'u gosodwyd o dan enw'r bardd gan obeithio y rhydd hyn flas ar arddull a thestunau'r gwahanol feirdd. Ffuantus weithiau yw pennu un thema gan y credwn y gall cerdd dreiddio'n ddyfnach os nas cyfyngir i un dosbarth.

Nid oes prinder cerddi sydd yn treiddio i berthynas y ferch a'i chydnabod. Rhy luosog yw dechrau enwi'r holl gerddi a geir sydd yn treiddio i berthynas y bardd fel mam, merch, chwaer, cymydog a dinesydd. Un nodwedd a'u clyma ynghyd yw ofnadwyaeth cariad a'r consyrn am freuder bywyd. Yn y canu hwn am y byd a'i boenau, treiddia cariad drwy ofnau gan glymu'n dynn mewn ymwybod â chyfrifoldeb.

Y mae canu serch hefyd yn amlwg yn y gyfrol; 'dwn i ddim ai am fod y rhan fwyaf o'r cyfranwyr yn ifanc y mae hyn, ond da yw eu cael, a hynny am mai prin fu'r canu serch gan ferched a hynny unwaith eto am resymau sy'n ymwneud â safle goddefol y ferch yn y gymdeithas. Ni wadwyd iddi'r hawl i gael profiadau cyfriniol, fel yn achos Ann Griffiths. Mynnodd ambell feirniad ffeminyddol fel Luce Irigaray[7] ddadlau i ferched ragori ar ddynion yn y maes hwn am y rheswm syml bod gormes patriarchiaeth eisoes wedi diosg oddi arnynt eu goddrychedd fel personau. I Irigaray disgwrs cyfriniol oedd yr unig faes a ganiatâi i'r ferch siarad a gweithredu mewn ffordd mor gyhoeddus. Onid iaith a bwysleisiai 'nos yr enaid' a geid gyda'i hymwybyddiaeth wedi ei thrawsffurfio i fyd lle nad oedd gwahaniaethau? Eithr ceir yn y gyfrol gerddi am gariad rhwng merched a meibion digon meidrol a'r cariad hwnnw'n gyforiog o holl gymhlethdodau perthynas pobl â'i gilydd. Ceir ambell gerdd ogleisiol hefyd ond ni chafwyd hyd yma farddoniaeth gyfoes erotig fel a geir gan feirdd ffeminyddol Ewrop ac America.

Mae yma ymrafael rhwng yr hyn yw'r ferch a'r hyn y mynn cymdeithas iddi fod. Ceir dwy gerdd gan ddau fardd tra gwahanol ar yr un testun sef sgitsoffrenia (tt.22 a 66). Ai dangos a wna hyn fod barddoniaeth gan ferched (yn fwy na barddoniaeth gan ddynion), yn gweithio fel therapi, gan arllwys cerddi fel mynegiant eneidiol? Neu a yw'n dangos fod merched yn fwy parod i ymdrin â'u ffaeleddau ar gân tra bo dynion wedi dysgu'n fore i fod yn ddewr a di-ildio?

Rhag rhoi'r argraff mai pruddglwyfus yw natur y cerddi dylid ychwanegu bod yn y gyfrol hefyd gerddi dychanol a digri sy'n chwalu'r gred neu'r ideoleg a greodd dynion nad oes gan ferched hiwmor. Un enghraifft dda yw'r parodi ar y testun 'Bechgyn Aberystwyth' (t.48) sy'n taflu goleuni newydd ar gywydd enwog Dafydd Ap Gwilym 'Merched Llanbadarn'. Yn yr un modd ceir cerddi ysgafn a dychanol ar 'has-bîns' (t.17) ac 'Mae'n trendi bod yn leffti yng Nghymru heddi' (t.53). Nodwedd arall sydd ynghlwm yn y dychan yw goganu am obsesiwn y ferch â'i chorff yn y cerddi 'Sylw' (t.55) a 'Cyclops' (t.34).

Ond nid canu am ferched yw rhagamod canu ffeminyddol; gall canu sydd yn edrych ar y byd hefyd fod yr un mor arwyddocaol. Yn y gerdd 'Esgyrn sychion' (t.75) a 'Llithro heibio' (t.57) y mae yna naws gyfandirol ac ymwybyddiaeth wleidyddol. Plethodd ambell fardd y pell yn agos trwy ddefnyddio delwedd o blatiau gleision i gyfleu darlun o gyflafan Beijing (t.50); testun sydd wedi cyffroi mwy nag un yn y gyfrol hon (t.62).

Yn union fel y canodd dynion i'w harwyr y mae yma ganu am ferched a aeth ar goll ym myd hanes yn ogystal â cherddi am ferched cyfoes. Cerdd deyrnged i un a fyddai wedi gwerthfawrogi cyfrol fel hon yw'r gerdd 'Ffiniau' (t.83) am y ddiweddar Helen Thomas, ymgyrchwraig heddwch a laddwyd yn Greenham ac a fu'n weithwraig ddiflino dros iawnderau cymdeithasol.

Amhosib mewn rhagair fel hwn yw tynnu sylw at ganu pob bardd yn y gyfrol a chip yn unig a geir ar dueddfrydau rhai o'r beirdd y cyhoeddir eu gwaith yma. Ond rhaid sylwi ar ffurf y canu. A yw'n arwyddocaol tybed mai canu yn y mesur rhydd a wnaeth mwyafrif llethol y beirdd? Pam tybed fod cyn lleied o ferched yn canu yn y mesurau caeth? Tybed ai am fod holl orffennol y cynganeddion, a'i ddibyniaeth ar feistri cerdd dafod a blynyddoedd o ddysgu crefft yn rhywbeth na fu'n rhan o brofiad y ferch? O'r herwydd a aeth hi ati i ganu yn y dull oedd ar gael iddi, fel petai, heb orfod dibynnu ar dalwrna a gorchesta ei dawn? Yng nghanu merched, pwysleisiwyd gan rai ffeminyddion yr angen am gydweithredu yn lle cystadlu gan anelu hefyd at ddarllen eu gwaith yn gyhoeddus er mwyn dod o hyd i swyddogaethau newydd ym myd llên a diwylliant.

Ond tybed a ddatblygodd y bardd o Gymraes yn debyg i'w chyfoeswyr ffeminyddol mewn gwledydd eraill? Darllenwn am Adrienne Rich[8] a Susan Griffin[9] ac eraill yn cydnabod mai gwaith unig a dirgel fu ysgrifennu iddyn nhw, a'u bod bron yn swil o'r ffaith eu bod yn ysgrifennu o gwbl; hynny yw, nes mentro cyhoeddi eu gwaith. A dyna reswm da arall dros gyfrol fel hon sef cael casglu ynghyd feirdd o ferched er mwyn eu hannog i barhau. Yn sicr, bod diymhongar iawn yw'r bardd o Gymraes. O'r holl gerddi a dderbyniais ni thorrodd rhagor na phedair o'r beirdd eu henwau ar waelod eu cerddi. I mi mae hynny yn profi bod y beirdd yn parhau i ofni'r ffurf hon ar lenyddiaeth a fawrygir gymaint yng Nghymru ac mewn gwledydd eraill.

Bathodd Claudine Herman y term 'lladron iaith i ddisgrifio beirdd o ferched'.[10] Wrth olygu'r gyfrol hon plediaf yn euog i'r cyhuddiad a dyma gyfle i arddangos ychydig o'r cynnyrch a gipiwyd gan eu dychymyg a'u gweledigaeth. Digon yw datgan eu bod, boed yn fam neu'n weddw, yn ferch neu'n chwaer yn bennaf oll, yn feirdd – ie, yn feirdd O'R IAWN RYW!

1. Saunders Lewis, *Siwan a Cherddi Eraill* (Abertawe, 3ydd arg., 1990), 24.

2. Octavio Paz, *Selected Poems* gyda rhagymadrodd gan Charles Tomlinson (Penguin, 1979), 13.

3. Menna Elfyn (gol.), *Hel Dail Gwyrdd* (Gwasg Gomer 1985).

4. Hélène Cixous, 'The Laugh of the Medusa', Toril Moi, *Sexual Textual Politics* (Methuen, 1985), 108.

5. Iwan Llwyd, Cerddi'r Goron, *Cyfansoddiadau Eisteddfod Cwm Rhymni* 1990.

6. Steve Eaves, *Rhaglen Cicio'r Ciwcymbars*, Cyhoeddwyr Iwan Llwyd, Ifor ap Glyn, Steve Eaves a Menna Elfyn, (1988), 5.

7. Luce Irigaray, 'Patriarchial reflections', Toril Moi, *Sexual Textual Politics*, (Methuen, 1985), 136.

8. Adrienne Rich, *On Lies, Secrets and Silence* (Virago, 1980).

9. Susan Griffin, *Made from this Earth*, (Women's Press, 1982).

10. Claudine Hermann, *Les Voleuses de langue* (Paris; Des Femmes 1979); Pennod 6 'Thieves of Language', Alicia Suskin Ostriker, (Women's Press, 1987), 211.

CYNNWYS

Digon hawdd yw enwi deg o feirdd gwrywaidd a fu'n canu cyn yr ugeinfed ganrif, ond faint ohonom fyddai'n gallu enwi'r un nifer o ferched? Mae enw Ann Griffiths, wrth gwrs, yn gyfarwydd i bawb, a Gwerful Mechain a Chranogwen i rai, ond wedyn? Ai eithriadau prin oedd y rhain? A oedd yna ferched eraill yn barddoni yn ystod y canrifoedd lu cyn 1900?

Oedd, yn ddi-os. Ond fe'u halltudiwyd i'r ymylon – ambell un yn llythrennol i ymyl y ddalen, fel y gwelir weithiau yn y llawysgrifau. Ni chafodd y merched hyn y fraint o gael eu gwaith wedi ei gyhoeddi mewn cyfrolau hardd gan Wasg y Brifysgol; ni chawsant hyd yn oed droedle yn y blodeugerddi safonol, ond mae eu lleisiau i'w clywed hyd heddiw, ond inni chwilio a chlustfeinio.

Llechu y mae'r rhan fwyaf ohonynt mewn hen lawysgrifau o'r unfed ganrif ar bymtheg ymlaen, ond dim ond rhyw drigain o'u henwau a gadwyd, o'u cymharu â rhyw bedair mil o ddynion a fu'n barddoni. Wrth gwrs, mae'n bur debyg mai merched a ganasai rai o'r cerddi anhysbys, fel yr hen benillion hynny sydd yn adlewyrchu profiadau benywaidd.

Ond pam fod cyn lleied o gerddi gan ferched wedi goroesi? Yn gyntaf, byddai'n llawer anos i ferched gael cyfle i ddysgu'r grefft. Arferai'r dynion ddysgu rheolau'r cynganeddion a'r mesurau caeth gan feirdd eraill, ac anodd fyddai i ferched gael eu derbyn fel prentisiaid. Byddai cyfrifoldebau'r cartref a'r teulu, hefyd, yn mynd ag amser y rhan fwyaf ohonynt. A faint o wragedd, heb sôn am famau, a allai grwydro o blasty i blasty i chwilio am nawdd gan dywysog neu uchelwr? Rhaid cofio hefyd mai araf iawn oedd twf llythrennedd ymysg merched. Nid oedd hyn yn anfantais o ran cyfansoddi, mewn oes lle'r oedd y traddodiad barddol i raddau helaeth yn draddodiad llafar, ond yn anffodus, yr unig gerddi sydd wedi goroesi hyd heddiw yw'r rhai hynny a roddwyd ar glawr. Gan mai dynion yn bennaf oll oedd yn gallu ysgrifennu, ac a oedd â'r nwyddau drudfawr hynny, sef memrwn neu bapur, o fewn eu cyrraedd, gellid disgwyl mai cerddi'r dynion a gâi flaenoriaeth ganddynt. Nid hap a damwain sydd yn cyfrif am y ffaith bod y rhan helaethaf o'r merched y gwyddom amdanynt a fu'n barddoni cyn 1700 yn perthyn i fardd gwrywaidd. Sleifio i mewn i'r llawysgrifau yn sgil tad neu ŵr a wnaeth llawer un. Dyna Gwenllian ferch Rhirid Flaidd, er enghraifft, y bardd benywaidd cynharaf y cadwyd ei henw yn y Gymraeg. Oni bai i'w henw brofi ei bod yn ferch i fardd gwrywaidd, go brin y gallem ddarganfod i ba ganrif y perthynai. Gan y bu ei thad yn canu tua 1160, gallwn dybio mai tua 1180–1200 y canai hithau, ond, ysywaeth, dim ond un gerdd sydd wedi ei phriodoli iddi, a honno mewn llawysgrif mor ddiweddar fel bod lle i amau ei dilysrwydd.

Weithiau cadwyd enw a mymryn o hanes merch o fardd yn nhraddodiad llafar ei bro enedigol, fel yn achos Barbara Gethin o Benmachno, a ganai, yn ôl pob tebyg, yn yr unfed ganrif ar bymtheg, er nad oes cerddi ganddi yn y llawysgrifau. A lle cadwyd cerddi'r merched ar glawr, yn bur aml un neu ddwy gerdd yn unig a briodolir i bob un, a hynny, efallai, mewn un neu ddwy lawysgrif. Eithriad prin oedd Gwerful Mechain, yr unig un o'r Oesoedd Canol y gwyddom dipyn o'i hanes, ac a adawodd nifer helaeth o gerddi ar ei hôl. Erbyn heddiw cawsom hyd i ryw ddeugain o gerddi ganddi, wedi eu cadw mewn ugeiniau o lawysgrifau.

Fel yr awgryma ei henw, un o ardal Llanfechain, Maldwyn, oedd Gwerful, a bu'n canu yn ystod ail hanner y bymthegfed ganrif. Priododd, a bu iddi o leiaf un ferch, a enwyd Mawd neu Mallt ar ôl chwaer y bardd. Amrywiaeth yw prif nodwedd gwaith Gwerful, o ran ffurf a thestun. Yr oedd yn feistres ar yr englyn a'r cywydd, a gallai droi ei hawen at y digrif a'r dychanol yn ogystal â'r dwys. Ceir nifer o'r un themâu yn ei gwaith ag a welir ym marddoniaeth ei chyfoedion gwrywaidd: dyna ei cherddi crefyddol dwys, er enghraifft, a'i henglynion brud. Ond diddorol yw nodi'r gwahaniaethau hefyd rhwng gwaith Gwerful, fel merch, a gwaith y dynion.

Yn gyntaf, nid oes ganddi enghreifftiau o'r canu mawl a'r marwnad, a fu mor gyffredin yng ngwaith y dynion. Fel gwraig briod, o dras fonheddig, ni fyddai angen i Gwerful Mechain ddibynnu am ei bywoliaeth ar noddwr, gan y byddai ei gŵr (a chyn hynny ei thad) yn gyfrifol am ei chynnal. Yr oedd ganddi fwy o ryddid felly i ddewis ei thestunau ei hun a'r ffordd i'w trafod. Ac os dewisai weithiau ganu ar yr un themâu â'r beirdd gwrywaidd, nid oes amheuaeth ei bod hefyd yn aml yn mynegi yn ei barddoniaeth deimladau a phrofiadau merch yn benodol. Cynrychiola felly faes a lwyr anwybyddwyd gan awduron llyfrau ar hanes ein llenyddiaeth a chan y mwyafrif o'n beirniaid llenyddol.

Yr enghreifftiau gorau o'r agwedd hon o'i gwaith yw ei henglyn llawn loes a dicter i'w gŵr am ei churo, lle dychmyga dalu'r pwyth yn ôl, a'r englyn i'w thad pan oedd yn bwriadu ailbriodi, lle mynega gydymdeimlad â'r briodferch ifanc a ieuir â gŵr oedrannus, ac â merched y gorfodwyd llysfam o oedran chwaer arnynt – digwyddiad pur gyffredin yn y cyfnod. Yn ddiddorol iawn, canodd merch o'r unfed ganrif ar bymtheg, Alis ferch Gruffudd ab Ieuan ap Llywelyn Fychan, (un o dair chwaer o Sir Ddinbych a fu'n barddoni) englyn hynod o debyg i un Gwerful, sydd yn dangos parhad traddodiad ac yn awgrymu, o bosibl, fod Alis yn gyfarwydd â gwaith ei rhagflaenydd.

Yn naturiol, safbwynt merch a fynegir gan Gwerful Mechain yn ei chaneuon serch, a dyma'r rheswm na thalodd yr ysgolheigion y sylw dyledus iddi. Oherwydd iddi fynegi ei theimladau rhywiol yn glir, fe'i hystyriwyd gan hynafgwyr y Brifysgol yn fardd pornograffig, ac anwybyddwyd y cerddi a ganodd ar bynciau llai dadleuol. Ond yr hyn a nodwedda ei cherddi serch yw gonestrwydd, a'r awydd i dderbyn rhywioldeb fel rhan naturiol, a phleserus, o fywyd merch yn ei gyfanrwydd. Yr un agwedd a amlygir mewn cyfres o englynion gan 'y tair ewig o Sir Ddinbych' a gofnodwyd mewn llawysgrif o ddechrau'r ail ganrif ar bymtheg, sef merched yn mynegi'n ddi-flewyn ar dafod eu hawydd i garu.

Ar y cyfan, tenau braidd yw'r cynnyrch a oroesodd o'r ail ganrif ar bymtheg, ond erbyn dechrau'r ganrif ddilynol daeth merch doreithiog arall i'r golwg, sef Angharad James (1677–1749). Priododd yn ugain oed â gŵr ddeugain mlynedd yn hŷn na hi, ac er iddi o'r herwydd gael ei gadael yn weddw'n ifanc, llwyddodd nid yn unig i redeg y fferm fwyaf yn Nolwyddelan ond hefyd i ddatblygu ei doniau fel bardd. Canai weithiau am ei phrofiadau fel merch – am fanteision priodi dyn mewn oed, am golli mab a chymar, ond hefyd am gyfeillgarwch rhwng merched. Cofnodwyd nifer o gerddi Angharad gan Margaret Davies (1700–80 neu 1785) o ardal Trawsfynydd, merch hynod iawn. Yr oedd hithau'n fardd, a dysgodd o leiaf un *dyn* i farddoni, sef Michael Prichard o Lanllechid. Ond ei phrif gyfraniad i hanes ein llên ni fel merched yw ei gwaith casglu a chofnodi llawer o gerddi gan ferched. Oni bai am ei llafur hi byddai enwau a cherddi beirdd fel Margaret Rowland a Marged ferch Ifan o Gaecyrrach wedi diflannu'n llwyr. Trwy gerddi a llythyrau rhai o ferched y cyfnod hwn cawn gip arnynt yn cydgyfarfod yng nghartrefi ei gilydd i adrodd eu cerddi, ac y mae'n bosibl mai dyma un ffordd y casglodd Margaret Davies eu gwaith.

Fel y dengys enghraifft mor enwog â'r emynydd Ann Griffiths ychydig yn ddiweddarach, nid oedd angen papur ac inc ar feirdd benywaidd y ddeunawfed ganrif bob tro, er bod Angharad James, Margaret Davies ac Ann Griffiths ill tair yn gallu ysgrifennu. Yn aml, cyfansoddi ar batrwm alaw draddodiadol neu boblogaidd a wnaent, ac weithiau nodir yr alaw briodol yn y llawysgrifau, fel bod modd inni heddiw eu canu yn yr un modd. Dywedir bod Angharad James yn canu'r delyn i ddiddanu'r morynion a weithiai ar y fferm: tybed ai cyfeilio i'w cherddi ei hun a wnâi?

O grynhoi'r dystiolaeth wasgaredig a phytiog sydd ar glawr, gwelir bod amgylchiadau cyfansoddi a rhannu barddoniaeth gan ferched yn wahanol iawn i rai'r dynion. Mae'n bosibl fod gwaith y merched wedi parhau'n hirach yn y cyfrwng llafar cyn cael ei gofnodi mewn llawysgrif. Ac y mae lle i gredu bod merched wedi parhau i gyfansoddi ar lafar hyd yn oed mewn oes pryd y tueddai'r dynion i ddibynnu fwyfwy ar y gair ysgrifenedig. Rhaid cofio mai yn ystod oriau gwaith y barddonai merched yn aml, tra bod barddoniaeth y dynion yn gysylltiedig ag oriau hamdden, ac yn enwedig â'r dafarn neu'r llofft stabal, lle yr arferent ymlacio ar ôl eu gwaith. Ond deuai cerddi Ann Griffiths ac Angharad James iddynt, meddir, tra oeddynt wrth eu gorchwylion beunyddiol. Byddai tasgau rhythmig, ailadroddus megis godro, corddi a golchi, yn gadael y meddwl yn rhydd i gyfansoddi. Ac os oedd y rhai gwell eu byd yn ymweld â'i gilydd o dro i dro, i rannu eu cerddi a chymdeithasu, oni fyddai'n naturiol iddynt fynd â gwaith gwau neu wnïo gydag hwy i gadw'r bysedd yn brysur?

Gyda'r bedwaredd ganrif ar bymtheg daeth newid mawr ym mhatrwm bywyd merched Cymru, gan effeithio, wrth gwrs, ar eu llenyddiaeth. Cafodd Brad y Llyfrau Gleision ddylanwad trwm ar feddylfryd y genedl, gan bwyso ar ferched i gydymffurfio â delweddau newydd, yn enwedig o ran ymddygiad a 'moesoldeb', a chyfyngwyd i raddau ar y themâu yr oedd yn dderbyniol iddynt eu dewis pan yn barddoni. Daeth argraffu cylchgronau a llyfrau'n llawer rhatach a mwy cyffredin, a chyda dyfodiad y rheilffyrdd gellid eu dosbarthu'n rhwydd i bob cwr o Gymru, i gyrraedd y nifer cynyddol a allai ddarllen. Dyma ganu cnul yr hen draddodiad llafar a gadwodd gerddi llawer o ferched yn fyw ar hyd y canrifoedd. Anhygoel i ni heddiw yw sylwi bod rhai o gerddi Gwerful Mechain yn dal ar lafar yn Sir Drefaldwyn yn ystod oes Syr O. M. Edwards. A mawr yw'n diolch i rai o'r hynafiaethwyr megis Owen Thomas ac O. Gethin Jones am gofnodi straeon am Angharad James a Barbara Gethin a gasglwyd ganddynt ar lafar yn eu bröydd yn y bedwaredd ganrif ar bymtheg.

Ond yn yr un cyfnod dechreuodd merched Cymru fanteisio ar gyfrwng y gair printiedig, cyfrwng sydd yn caniatáu i'w gwaith nid hirhoedledd yn unig ond hefyd y posibilrwydd o gyrraedd cynulleidfa lawer ehangach. A thra bod merched yn Lloegr wedi gweld eu gwaith mewn print ers yr ail ganrif ar bymtheg, ni ymddangosodd yr un gyfrol brintiedig gan ferch yn y Gymraeg tan 1850, pryd y cyhoeddwyd *Telyn Egryn*, sef cyfrol fechan o farddoniaeth Elin Evans, 'Elen Egryn' (1807–76) o Lanegryn, Meirion. Ond yr oedd rhai eraill eisoes wedi gweld eu gwaith mewn print, oherwydd o tua 1847 ymlaen dechreuodd ambell i ferch gyhoeddi ei cherddi mewn cylchgronau, yn enwedig *Y Cronicl*. Ac os ychydig iawn o gyfrolau barddoniaeth gan ferched sydd gennym o'r bedwaredd ganrif ar bymtheg, cafwyd twf aruthrol yn nifer y cerddi a gyhoeddwyd ganddynt yn y cylchgronau yn ystod ail hanner y ganrif.

Yr enwocaf o'r beirdd hyn oedd Cranogwen (Sarah Jane Rees, 1839–1916), a gipiodd y llawryf o dan drwynau Islwyn a Cheiriog yn Eisteddfod

Genedlaethol Aberystwyth, 1865, cyn mynd rhagddi i olygu'r cylchgrawn i ferched, *Y Frythones* o 1878 hyd 1891. Sefydlwyd cylchgrawn arall, *Y Gymraes*, gan Ceridwen Peris (Alice Grey Jones, 1852–1943) yn 1896. Efallai bod cynnwys y cylchgronau hyn, ar yr olwg gyntaf, yn ymddangos i ni heddiw yn geidwadol braidd, a byddai gwaith bardd fel Gwerful Mechain wedi codi gwrid ar wynebau Fictoraidd eu golygyddion, Ond nid oes amheuaeth i'r cyfnodolion hyn roi cyfle a sbardun newydd i ferched i lenydda ac i gyhoeddi eu gwaith. Heb lafur ac esiampl y merched hyn a'n rhagflaenodd, merched a brofodd ac a *fynnodd* fod gennym ninnau leisiau, faint ohonom, tybed, fyddai'n llenydda heddiw?

Ceridwen Lloyd-Morgan

Mai 1991

DARLLEN PELLACH

Kathryn Curtis, Marged Haycock, Elin ap Hywel a Ceridwen Lloyd-Morgan, 'Beirdd benywaidd yng Nghymru cyn 1800', *Y Traethodydd*, (Ionawr, 1986), 12–27.

Ceridwen Lloyd-Morgan, 'Y fuddai a'r ysgrifbin: y traddodiad llafar a'r beirdd benywaidd', *Barn*, (Chwefror, 1989), 14–16.

Ceridwen Lloyd-Morgan, 'Elin a'i thelyn: carreg filltir yn hanes llenyddiaeth y ferch', *Barn*, (Mawrth, 1989), 17–19.

Ceridwen Lloyd-Morgan, ' "Gwerful ferch ragorol fain": golwg newydd ar Gwerful Mechain', *Ysgrifau Beirniadol* XVI (1990), 84–96.

Ceridwen Lloyd-Morgan, yn y wasg, ysgrif ar Angharad James a Margaret Davies i ymddangos yn y cylchgrawn *Trivium*, a phennod ar Gwerful Mechain i ymddangos yn *Women and Literature in Britain 1150–1500* (gol. Carol Meale; Gwasg Prifysgol Caergrawnt).

Marged Haycock, 'Merched drwg a merched da: Ieuan Dyfi v. Gwerful Mechain', *Ysgrifau Beirniadol* XVI (1990), 97–110.

Cwmni

Am y tro,
Does dim y tu hwnt i'r clydwch hwn:
'Run sŵn y tu hwnt i'r taro gwydrau llon,
'Run wên, 'run wg nad yw ar gyfer rhywun,
'Run gair nad yw'n gwneud synnwyr yn y criw.

Daw'n amser cau; gwasgara pawb i'r nos.
Bryd hynny'n unig y cânt ffrwyn –
Meddyliau a aeth bron yn rhy ddof i dorri'n rhydd.
A dyna'r braw; nid ofni bod heb neb,
Ond ofni gweld, yn sobrwydd golau dydd,
Nad ydw i'n neb heb swcwr rhad y dorf.

Menna Baines

Mrs Thatcher wrth y cenotaph, 1990

Yn ei du y mae'n dawel – a chymen
       Ei chamu penisel
     Dros ei mŵd, rhoi mwgwd mêl,
     A'i chrafanc, awchu rhyfel.

Hilma Lloyd Edwards

Yn y capel

Eistedd a gwrando'n astud – a wna llu
       Ar y llo'n y pulpud,
     Yna, ymhen rhyw funud,
     Amau y geiriau i gyd.

Hilma Lloyd Edwards

Mentro

Mentrodd y pymthengmis penfelyn
Ar antur fawr
O law ei fam.
I'w gymalau simsan,
Daeth rhyw gadernid
Ac aeddfedrwydd i flagur y coesau byr
A'i cynhaliai
Nes ennyn ynddo ddyhead
I fwrw ffrwyth ei fabolaeth
    A'i draddodiad.

Fel rhyw Fadog
Dechreuodd ar ei daith ledrithiol
Dros gefnfor glas-garpedog
llawr y gegin.
Ei hoerni'n goglais ei wadnau diesgid.
Mor araf,
    Mor ddiofal a meddw
Ei gamau mân
A'u pitian-patian
Yn cerfio'n sicr syml
Lwybr dynoliaeth,
I guriadau'r ddawns hynafol o orfoledd
Yn llygaid ei fam.

Yna,
Syrthio'n swp
I'r llawr
A syllu'n syn.

'Roedd taith cenhedlaeth arall wedi dechrau.

Sioned Lleinau Jones

Olion

Plyga lawr ar frau ben-glin
Ynghanol gwyryfdod gwanwyn
I chwynnu. Crafu brigach
Tynnu gwraidd o'r tir yn iach,
Casglu dail a brigach fil
Ynghyd yn bentwr cynnil;
Cydio 'ngharn y gyllell wen
'Gael gwneud pob dim yn gymen
A pharchus. Ochneidio wna
Wrth weld pob dim yn gwella –
Dan fantell lâith ei lliain
Dychwel sglein i'r marmor cain.

Cennin pedr, saffrwn hud
Glas y gors a gwyddfid
Ymysg dail iorygen werdd –
Yn amrwd mewn blodeugerdd
Blethedig; offrwm y cloddiau
Mor deilwng, lliwgar a chrai
Yn atgof o'i hieuenctid –
Ei gynnwrf a'i fynych ryd.

Yn raddol, cwyd o'i chwrcwd –
Dagrau ar ei grudd yn ffrwd
Dyner. Dall yw'r llygaid prudd
Fo'n syllu ar y gorchudd
Sy'n gâs am drysor hen,
Dan gysgod pren ysgawen.

Ond daw'r haul i chwarae mig –
Pelydrau'n ddawns osgeiddig
Ar ei hallor. Cynhesir
Oerni'r graig er gwaetha'r cur –
Nes difa poen yr hagrwch
A'r cof am arogl llwch
Mor fyglyd a thew. Unfryd
Yn awr yr holl ddawnswyr mud –
Pob pelydryn a chysgod
Yn ymgyrraedd at eu nod
Ysbrydol. Gydag urddas
Argreffir ar y maen glas
Yn ôl eu troed hen ddelwedd,
Hen wyneb annwyl ei wedd
A chyfarwydd. I'w wefus
Daw gwên gariadus, a'r blys
Yn nhryloywder ei lygaid
I gynhesu pob rhyw waed.

Wrth rwbio'i dwylo'n betrus –
Rhwbio'r aur nes cochi'r bys –
Rhydd danwydd ar hen aelwyd
Gan gyffroi marworyn nwyd
Drachefn. Ymdonni drosti
Wna'i hatgofion nawr yn llu
Cyn dychwel o'r cymylau
Fel llen dros gymundeb dau.
Ymgrymu mor addolgar
Wna'r wraig yn weddw a gwâr
Cyn ffarwelio am ennyd
A'r gwin yn felys o hyd.

Sioned Lleinau Jones

Hydref 1989

(Y Chwyldro)

Daeth hydref yn gynnar
    I'r dwyrain
        Eleni.

Daeth yn ddirybudd
    Ar ganol haf,
        Ond
'Roedd ei ddinistr yr un mor derfynol.

Daeth fel rhyw ffrwydrad chwilboeth
A thafodau lliwgar ei dân
Yn dinistrio irder yr haf -
Ei fflamau'n dawnsio
Mewn buddugoliaeth
Gan ddathlu
    Cychwyn
        Y marw araf.

Tranc yn mygu'r gwreiddiau
    A'i gyfaredd
Yn sugno'r gwythiennau,
Gan gau pob drws o'i ôl
    A'i gloi;
Taflwyd yr allwedd ymaith.
Chwipiwyd y dail gan chwa
A'u hudodd i gefnu ar farwydos twyllodrus
Y canghennau cynhaliol
A thorri'n rhydd.
Siglwyd pennau'r blodau
Gan ryferthwy nwydus miwsig y ddawns;
Pliciwyd y petalau amryliw
Ac fe'u taflwyd
    Yn swp
        I'r llawr.

Y cyfan
Yn chwyrlïo yng nghaddug marwol eu bore
Mor ddisgwylgar,
    Mor fyw.

Fel llanw'r môr,
Gyrrwyd eu tonnau tymhestlog
    Ar ras
Gan y gwynt dwyreiniol,
I dorri ar draethau estron.
    Fe'u collwyd
        Am byth.

                    * * *

Toreithiog fu'r cnwd
    I'r Gorllewin.
Y ffrwythlondeb rhyfeddol
Yn diogelu'r dyfydol,
A sŵn moethus y grawn
Yn dwyn atgofion
O'r ymdrech i'w feithrin.

Annaturiol
    Oedd yr hydref
        yno.

Nid pydredd a gafwyd,
Ond ailenedigaeth y 'gwydde bach'.
Daeth haul
A'i chwistrelliad o egni
I gynnal yr euro
Gan leddfu'r pryder am ddinistr
Anochel y gaeaf.

Islaw llyfnder yr wyneb,
Byrlymai cerrynt cyffrous
A'r gorlif
Yn taenu haen drwchus
O laid aeddfed
Dros ludded
    A normalrwydd y wlad.
Ei chroth
Yn barod ar gyfer y cenhedliad.
A'i mudandod
    Yn brawf
O'i disgwylgarwch am wefr yr esgoriad,
A'i gobaith
    Am fywyd newydd
        Pan ddaw gwanwyn.

Sioned Lleinau Jones

Cartref

Nid dy gartref di yw hwn
Er bod rhif ar dy ddrws
A'th enw ar y ddogfen.
Fe'th drawsblannwyd
O'th gynefin hafodaidd
    Yn fregus
I blith blaendoriadau prin
    Yr hendre
Yn awr dy wendid;
Dy goesau digyffro
Heb fod yn ddigon cryf
I'th gynnal
Yng ngrym y ddrycin.
Fe'th chwipiwyd
    Ac fe'th dreisiwyd
        Yn gariadus
            Ddifeddwl.

Nid yw'r cartref hwn
Ond tŷ gwydr –
Y muriau chwyddwydrog
Yn sicrhau na fedri ddianc
Rhag eu craffu taer
    A'u cwestiynau trylwyr.
Mor afiach gynhesrwydd y tawch –
Ei arogl clinigol
Yn hudo'th ysbryd
    I gysgadrwydd
        Annaturiol
            O gynlluniedig.

Daw'r gwenwyn yn gyffro
    Yn eu tro
A rhyddhad ym miniogrwydd
    Eu pigiadau.
Dygant o'th gôl
    Baill dy barch
A'th boenydio â'u suo
    Twyllodrus.

Wyt unig yn dy bâm;
Dy ben ymhlyg
    A'th ddail yn llwm.
Collodd y pridd ei rin
    A thithau,
Anghofiaist dy had.

Ond dyheu a wnei o hyd –
Dyheu am y garddwr
A'th blannodd yn ei dir
    A'th feithrin;
Y sawl a ddyfrhaodd dy wraidd
    A'th fwydo.
Yr hwn a gynhyrfodd dy obaith
    Am atgyfodiad
        A bywyd.
Yr un garddwr
    A gynhyrfodd dy ffydd
        A'th dwyllo.

Bydd ddewr, fy chwaer,
Rho glust i gŵyn y gwynt,
Ei sibrwd oer,
Yn rhyddid drwy dy wallt
Yn anadl i'th lwch.

Sioned Lleinau Jones

Hen, hen alaw oesol

'Sometimes I think if there was a third sex,
men wouldn't get so much as a glance from me.'
Amanda Vail

(Wrth gyfarch cydnabod un bore adeg dyddiau Coleg, ac o ofyn yn ystrydebol
'Shwd mae'n mynd?', atebodd yn yr union eiriau a ganlyn, cyn ymhelaethu ar y
pwynt.)

'I'm so depressed'
    Medde hi
        Wrtha i'n
            Ddagreuol.

'I'm so depressed,
Boy trouble, you know',
    Medde hi . . .

        Medde fi,
           Medde chi,
               Medde Efa.

A phwy wnaeth gam
Â'r fam a'r ferch?

        Pwy, ond *ni* fenywod
        Yn mo'yn maldod wrth wrywod hurt.

'I'm so depressed . . .'

    ULTIMATUM.

      CYMER FALIUM.

        NAWR.

Elin Wyn Williams

Un + Un = Dau

Ti a Fi.
Dau.
    Dechrau.

Aeth Dau yn Un
        Diderfyn
      Nes i'r terfyn hollti'r Un
          Yn
              Ddau.

Ti a Fi.
Dau.
    Diwedd.

Elin Wyn Williams

Celwydd y gair

'Dyw sŵn y glaw yn ddim, –
        ond sŵn y glaw,
A chân y gog,
        ond alaw undonog;
Machlud ar fôr?
        Adlewyrchiad,
            dim rhagor,
A cham y gŵr arthritig uwch 'i ffon,
        yn gam,
            fel pob un arall,
                purion?

OND,

    Rhowch i fardd whilbered o gaca,
    Try ynte'r budreddi yn ddeunydd Iwtopia.

Diawl o gelwyddgi
        yw Bardd.

Elin Wyn Williams

Moliannwn oll yn llon!

Canwch gân
I'r wraig o flân y tân
Sy'n smwddio'r cryse glân
Yn ddeddfol.

Taflwch winc
At gefn y fenyw
Yn y sinc
Sydd – yn ôl 'i harfer –
Yn câl pleser
Wrth addoli
Hollalluog dduw y llestri.

Lluniwch gerdd
I gloriannu angerdd
Merch y misglwyf
Wrth i'r felan
Ddripian
Drosti.

Cynnwch fflam
I oleuo Bedlam
Y fam
Sy'n wargam wthio'r pram
Heb gymar.

A bloeddiwch gri
I wroli
Gwragedd Greenham
Ar Gomin 'u
Hegwyddorion
Gwenfflam.

Dewch
Moliannwn oll yn llon
Yr uchod yr awron
A dichon daw dynion
Yn wŷr ac yn feibion
I ddeall
Ryw ddiwrnod
Nad mwlsyn mo merch!

Elin Wyn Williams

Tad-cu (Dyta)

Roedd gwawl
Ym mhylni'r llygad,
A chadernid profiad
Ymhlyg ym memrwn crimp
Yr wyneb craff.
Ar ddwylaw,
Nythai creithiau distaw
Olion claer o'r drwg a'r da
Fu'n croesi'r llwybr llaetha.

Ond ym manna'r morffin,
Disbyddwyd costrel o'i holl win.

Elin Wyn Williams

Atgo 'Has-bîn'

Mae gen i hiraeth heno
Am y don
Fu'n sbydu'i chwynion
Ar y prom a'r stiwdant.

Mae gen i atgo' wel'di,
Am y rheiny
Fu'n gwmpeini
Cyhyd
Yn adfyd byd a'i firi.

Fe gaf fi noddfa rywdro
Yn annwn yr holl gofio,
Pob rhith dan wasgfa i droi'n 'i ôl
I foddio trachwant 'has-bîn' ffôl.

A gofi dithau, Aber,
Y nosau hirion, syber,
A'r dyddiau pan fo'r nwyd ar dân
Fel Cristion uwch 'i bader?

A gofi dithau'r cwmni
Mewn tafarn ac mewn festri?
A gofi'r brotest yn y Post
A Thafod Draig 'di chwerwi'n dost?

Mewn degawd, 'sgwn i heno
Ddaw diwedd ar yr atgo',
Ac arall coll mewn arall fan
A'r hiraeth hwn yn dod i'w ran?

Elin Wyn Williams

Cestyll y tywod

(Ionawr 1991)

Un eneth fach o flaen y lli
A'i chestyll yn y tywod,
Ei llygaid gloyw'n codi caer
Yn werddon o dan gysgod.

Ond wrth i'r gwyll dywyllu'r lli
A'r tywod losgi'r llygaid,
Ble'r aeth y cestyll yn y co'
A'r werddon yn yr enaid?

Angharad Jones

Dail o Sycharth

Syrthiodd o blygion llythyr,
dalen feillion gyffredin.
'Dyma ddalen o Sycharth.'

Cadwyd hi dros dro
yna diflannodd
i ganol annibendod
byw bob dydd Mersia.

Deinameg grŵp o ferched
a alwodd ei delwedd
o ddyfnderoedd ymwybod
fel galw'r rhith yn Endor,
hynny drwy drafod hanes
Catrin o Lyn Dyfrdwy
a fygodd mewn nenlofft
yn Llundain
ynghyd â'i phlant o ach Efrog.

Damwain,
(gwenwyn mwg golosg)
gyfleus i fuddugwyr
Agincourt.

Dalen-rwygwyd o'i changen
er elw'r orchest
cyn ei thaflu – gyda'r golchion

i ddŵr budr gwteri hanes.

Nest Lloyd

Merched Llanio*

Lleng o Sbaenwyr
yn sythu yng nglaw
Ceredigion,
hiraethu am haul,
dioddef diflastod ymarferiadau
milwrol
mewn gwlad elyniaethus,
a'r corsydd a'r coed
yn sibrwd bygythion
yr Ordoficiaid anhydrin.

Ond 'roedd yn y 'vicus'
fenywod.
Petrusa'r athro
rhag cyffroi merched ffeministaidd
trwy ddefnyddio gair megis
'puteiniaid'.
'Roedd 'na briodasau anghyfreithlon . . .'
mentra'n ofalus
ac ychwanegu
'Gwgid ar yr arfer.'

Pwy oeddynt,
y gwragedd gefnodd
ar gynhesrwydd y llwyth
a mentro i Dir Neb
y clwstwr hofelau
y tu allan i furiau'r gaer.

Eu cymynrodd inni:
crair o bren cerfiedig,
carn cyllell efallai,
ar lun pen merch
â gwallt tynn, cordeddog.
Hwn, a'r enw Sarn Helen.

Islais o hanes y fenyw
o ganol imperialaeth Rhufain.

Nest Lloyd

*Mae Llanio'n safle is-gaer Rufeinig yng ngogledd Ceredigion.

Sgitsoffrenia

Gair cyfleus
i guddio lliaws o
dorri'r norm,
anufuddhau'r deddfau
anysgrifenedig
na fedrwn bawb eu synhwyro.
Daw o wreiddyn Groegaidd
yn golygu 'tor calon'.

Ond thâl hi ddim
siarad â meddygon
yn fetafforig.
dywedwch fod loes yn eich calon
ac atebant: 'Yn lle yn union?'

Dywedwch y medrwch ladd rhywun
a chewch eich hun mewn caethiwed.

Â mwy o ferched
nag o ddynion
yn dioddef o sgitsoffrenia –
carcwch eich calonnau,
lapiwch hwy mewn gwlanen goch;
os nad oes 'na sâm gŵydd,
triwch 'Vic',
a chadwch yn y tŷ
pan chwytho'r gwynt
o'r dwyrain.

Ac na ddywedwch
na chawsoch
eich rhybuddio.

Nest Lloyd

Misglwy' ola'

Yn lle pum dydd
o hylif coch
mis o grintach waedu
dagrau brown
fel wylo un
yn ofni ildio
i alar.

Ar drothwy Nadolig
a dathlu cynhaeaf cnawd,
daeth terfyn arwydd
ffrwythlondeb merch.

Diwedd rhegi
o ddihuno i smotiau
coch ar gynfas lân;
diwedd pwyso a mesur
offer atal cenhedlu.

Switsio o liw
i ddu a gwyn
ar deledu bywyd.
Tristwch a rhyddhad
yn uno'n gyplysiad
diogel – yn y meddwl.

Nest Lloyd

Merch heb freichiau

Darlunio noethlymun
â gwallt mawr, tywyll
a choesau cryfion.

Canolbwyntio
ar y crwn
y bola crwn,
y bronnau llawn
a'r tethau
na fedrwn ddehongli
eu harwyddocâd,
pigau creulon
neu fefus melys?

Peintio ac
ailbeintio
yr amlinellau
crwn.

Cofio gŵr
yn peintio
ochr ei wraig
ag iodin
i leddfu poen –
hyn oedd cariad.

Aeth rhithmau
cariad
i'r llun anghelfydd
ond
wrth ymgolli
mewn lliw a ffurf
anghofiwyd
breichiau a dwylo.

Pam?

Yr is-ymwybod
yn mynnu pwysleisio
diymadferthedd gwraig?

Nest Lloyd

Adolesens

Tynnu ewinedd
drwy anialwch o wallt,
cynnes-goch.
Ei deimlo fel
tywod poeth yn
llifo drwy fysedd.
Boddi llaw
yn yr anhrefn dwfn
teimlo croen y pen.

Ymlacio'n ddiniweition
cyn troi at oerni
du a gwyn
geiriau canol-oesol,
testun gosod.

Trin rheolau
gramadeg, digyfaddawd,
anghofio problemau,
mwy cymhleth ein byw
wrth ddarllen
ar encil o draeth.

Dewis anwybyddu
y murmur bygythiol
o'r is-ymwybod;
a hwnnw mor gyson
â llepian y tonnau.

Nest Lloyd

Gwylnos

(Yn Aberystwyth, Rhyfel y Culfor, gaeaf 1991)

Cannwyll yn llosgi: ofnau'n ymgasglu.
Gwêr yn goferu: gwaed yn rhaeadru.
Dwylo'n dolennu: enaid yn trengi.
Fflam yn rhyw bylu: calon yn fferru.
Cadwyn ar dorri: byd yn ymrannu.
Diwedd y weddi   a'r cread yn nadu
        yn hwyr un nos
          ddi-glasnost.

Delyth George

'Am wragedd ni all neb wybod'

(Saunders Lewis)

Yn fun,
yn forwyn,
yn Fair,

yn fam,
yn feddal,
yn fwyn,

yn hŵr,
yn halog,
yn hy,

yn herfeiddiol;

ie, gwyliwch chi
ei chamre Hi.

Delyth George

Treifl a Threfn

Mae i dreiffl drefn,
haenau o ystyr
ynghudd yn ei bentwr blasus.
Ond roedd un chwaer ddwl
yn ddall i hyn oll,
a gofynnodd i'r llall
sut oedd mynd ati
i hulio'r blasusfwyd
ar gyfer te parti.

'Wel,' meddai honno
yn fawr ei ffrwst:
'darn o gacen sych
a'i rhoddi yn wlych
mewn dropyn o sieri
cyn tywallt y jeli:
yna daw'r hufen
a chlamp o geiriosen.
Ac wele dreiffl,
wele drefn!'

'Ond na,' medd y llall
gan annerch y gall:
'beth pe baen ni,
am ennyd, yn oedi
ac yn newid y drefn:
yn gynta'r geiriosen
ac yna yr hufen;
wedyn y jeli
a dropyn o sieri,
ac ar y top
gacen o'r siop!'

Gwaredodd y gall.
Beth oedd ar y llall
yn creu trafferth o hyd
mewn treiffl o fyd?

Delyth George

'Strip-tease'

Wedi cau'r drws ar weddill y parti
a'i gloi – gyda'r cotiau'n ddynion gwag
ar fedd tir neb y gwely
ac udo'u perchnogion i'w glywed o hyd –
trodd y cowboi ati: 'Nawr, fenyw fach,
cawn weld faint fedri di 'fatryd.'

Datododd hi fotymau'i bronnau
a lluchio'r sofrenni'n swnllyd i'r nos;
llithrodd o staes ei hasennau
a diosg ei chroen fel crys o fwg
a edwinodd dan haul ei chalon –
mewn noethni daw'n blaned amlwg.

Dilynodd ef gwrs llosg ei machlud
at goedwig ei choesau, lle'r aeth ar goll
am fyth ym mhrysurdeb ei hysbryd.
Ond nid cyn troi'n ôl o'r gagendor
i weld yr ystafell lle bu hi'n ferch
a'r cotiau'n ei chanmol, ac yn codi'n gôr.

Gwyneth Lewis

'Ma' mam yn dweud . . .'

Ma' mam yn dweud 'mod i'n ferch fach bert
Pan fo 'ngwallt mewn bwnshys
A fi mewn blows a sgert.
Ond 'ŵyr mam ddim am y trwbwl
Dwi'n gael pan fydd bechgyn yn yr ysgol
Yn tynnu 'ngwallt; 'se'n well peidio cael bwnshys o gwbl.

Ma' mam yn dweud 'mod i'n ferch fach ddeallus
A bod rhaid gwneud yn dda yn yr ysgol
Er mwyn cael tŷ neis a gŵr golygus.
Ond 'ŵyr mam ddim am fy nghynllunie innau
I fyw'r bywyd sengl heb orfod ffwdanu,
A bod yn bennaeth ar gwmni gwerth miliynau.

Elinor Wyn Reynolds

Blodyn llyfr

Rhwng dalennau'r nofel
gorwedd darn bach, crin o gariad;
yn foel heb betalau,
dim ond bonyn brau
a stwmpyn gwywedig lle bu
awdl foliant i fywyd.

Wedi codi'r petheuyn,
mae arogl
oesoedd o hen lyfrgelloedd llychlyd,
bellach, yn hongian yn drwm ar y stem;
ond caiff y distawrwydd llethol ei foddi gan
sibrydiad neges seml y blodyn.

'Cofia fi
tra bo'r blodyn.'
Mae'r angerdd a'r cariad yno o hyd, wedi crino ychydig.
Ond rhwng bys, bawd a dychymyg
fe ddaw'r cyffyrddiad trydanol cynta' eto'n fyw.

Elinor Wyn Reynolds

Cyclops

'Ar y wefus ychydig funudau
Ond am oes mae ar y cluniau . . .'
Y llais yn edliw'r calorïau i'm corff,
a dyma'r wên watwarus eto,
yr un sy'n dweud –
'Nid pawb sy'n gallu bod mor berffaith â fi' –
y wên sy'n diferu o drueni
tuag at y llai ffodus.

Fi, y gwehil blonegog
yn fy *elasticated waists*
a'm *loose-fitting garments*.
Tra'i bod hi, a'i gwisgoedd yn glynu'n ogoneddus,
foethus o 'welwch-chi-fi' at ei chorff,
yn croesi'i choesau heb achosi daeargryn.
Heb wall ar ei gwallt,
brycheuyn ar ei cholur,
na bai ar ei bysedd –
mae'n berffaith.

Ond wrth fy ngwylio i'n
ymlafnio drwy deisen drymlwythog, hufennog,
gan fwynhau pob mymryn cyfoethog;
fe dyf ei llygaid yn
ddwy belen wythiennog, hyll.
Ymgasgla'r chwys yn wlithog
ar ei gwefus.
Yn ei phen mae'n cyfri'r calorïau'n wyllt.
A daw o'i genau llac,
yr ebwch hirddisgwyliedig,
'Fe ei di'n dewach fyth!'

Wrth gnoi cil,
mae'r hufen yn felysach
wedi blasu chwerwder ei geiriau hi.
Mae gormod o golur
yn ei gwneud hi'n wrachaidd
a'i bysedd yn esgyrnog, frau.
Does dim 'bach o af'el'
yn agos iddi hyd yn oed.
Dim ond agwedd
unllygeidiog, angenfilaidd
tuag at fyw o ddydd i ddydd,
sy'n ei gwneud *hi'n* un o *freaks* bywyd.

Elinor Wyn Reynolds

Triongl tragwyddol

Parodd ein cyfarfyddiad cynta'
fi i ganu yn y glaw,
ond,
gadawodd dy eiriau ola' di
fi'n fud a dwys
yn yr heulwen.

Cyn bo hir,
fe af yn ôl i'r man o'r lle dois i.
Cyn bo hir,
fe ddaw'r gaeaf,
ond 'wnaf i fyth anghofio'r lle hwn,
na thithau,
na dyddiau'r haf.

Dim ond gwên ac osgo pen,
a'r ffordd y gelli di 'nheimlo i'n
edrych arnat ti;
rydw i'n dal i anghofio
nad ŷm yn gariadon
eto.

Elinor Wyn Reynolds

Gloria . . .

Ma' nhw'n dweud bod y byd yn dod i ben
cyn hir,
ond 'chreda i ddim.
On'd oes cymaint i'w wneud cyn hynny?
A 'wnaiff Armagedon ei hun
ddim 'nal *i* â'm trowsus rownd 'y mhigyrne!
Mi fydd yn rhaid
sgrwbio'r stepen ffrynt yn glou,
lawr ar 'y nglinie, a maldodi'r hen lechen
nes 'mod i'n gallu'i theimlo'n gwichian
dan y brwsh.
Os wy am fynd,
wy am fynd yn barchus,
'chaiff neb ddweud
'mod *i'n* gadael pethau
ar eu hanner.
'Chaiff neb fy ngalw *i'n*
ddidoreth.

Bydd rhaid rhoi blode yn y capel, cyn mynd.
Ond ddim gormod: 'sdim ishe mynd dros ben llestri,
'allwch chi ddim gadel y capel heb flode.
'Ddarllenes i'n rhywle
fod planhigion yn dwyn yr ocsigen i gyd.
'Sdim rhyfedd ein bod ni'n diodde' o'r
greenhouse effect.
Felly, os wy am fynd,
wy am fynd â
bwnshed o flode yn 'y nwylo;
'sdim iws
'mestyn yr ing,
a wy' *yn* dwlu ar grysanths.

Ma' nhw'n dweud
mai gorffen mewn pelen o dân
fydd y byd.
Gyda holl erchyllterau
Satan yn meirioli
a merwino'n cyrff.
Caiff puteiniaid a godinebwyr
eu taflu ar wely o wewyr
i ddiodde'.
Os wy' am fynd,
wy' am fynd
fel diffodd cannwyll,
un pwff sydyn, tawel,
caledu oeraidd y gwêr,
a lluman mwg yn datgan y diwedd.

Elinor Wyn Reynolds

Mwgwd

Roedd yn arfer gan yr hen Geltiaid
wisgo calch llasar ar eu hwynebau
er mwyn ymddangos
yn ffyrnig,
eofn a dewr.
'Feiddiai neb eu maeddu hwy'
roeddent yn anorchfygol!
Tu ôl i'r mygydau gleision
pefriai'r llygaid gwylltion,
ac osgo'u cyrff
yn barod i grafangu buddugoliaeth
o ymysgaroedd y gelyn.

Mae gennyf innau fy mwgwd hefyd.
Ond mae hwnnw'n un anweledig,
un o
fenyweidd-dra llariaidd;
mae addfwynder yr amdo'n fy llethu.
Pan 'mod i am weiddi
a chrio,
pan 'mod i mewn cyfyng gyngor –
rhaid rhoi'r gorau i deimlo emosiwn,
neu gael fy ngalw'n
fenyw wan.
Ar y llaw arall,
mae bod yn *rhy* gryf yn wendid,
mewn merch.

Ond bob hyn a hyn,
fe syrth y mwgwd,
gan fy ngadael i'n ysgyrnygu dannedd.

Elinor Wyn Reynolds

Y nos na fu

'I spent all night alone with you
And you weren't even there . . .'
Carly Simon

Heno
Byddi gyda mi
Ynghanol unigrwydd tywyllwch.
Bydd dy lais yn gysur
Yn oerni amheuon,
A'th gorff yn gynnes
Yn fy mreichiau.
Heno
Estynnaf iti
Holl glymau cymhleth fy niwrnod
Ac fe'u datodi'n amyneddgar;
Caf arllwys cymysgwch fy meddwl o'th flaen
Ac fe ddaw o'r tryblith
Drefn.
Byddi yma
Yn gusanu poeth,
Yn anwesu tyner,
Yn eofn d'eiriau
Heb ofni'r hyn a ddywed neb;
Heb guddio dy gariad o'u golwg,
Heb g'wilydd.
Caf fy lapio fy hunan yn glyd
Ynot ti,
Yn gyflawn yn dy gwmni.
Bydd ein caru'n onest,
Yn agored, lân
Heno,
A minnau'n fodlon.

Pan ddaw dadrith y bore
eto
I 'neffro
Fe drof fy nghefn ar y nos na fu.
Fe blygaf flanced dy gariad yn dwt
A'i rhoi i gadw yng nghwpwrdd fy meddwl.
Wynebaf realaeth fy niwrnod unig
Hebot.

Menna Thomas

Tân siafins

Gad i mi dy gasáu
Am iti ddisgyn, yn sbilsen fyw,
I ganol naddion fy nyddiau
A chynnau'r angen oedd ynof.
Gad imi dywallt
Dŵr oer fy chwerwedd
I ddiffodd pob gwres fu rhyngom;
Does dim cysur o gofio'r
Cynhesrwydd glaearodd,
Nac esmwythyd o estyn fy nwylo
I'w twymo gan fflamau ddoe.
Gad im' arllwys fy nicter
Yn gawod arnat
Am iti borthi fy nghariad
Â thanwydd dy eiriau
A'i fogi wedyn
Gan ofn ei danbeidrwydd brwd.
Fe geisiaist reoli
Pob gwreichionen grwydr
A 'nghadw i fudlosgi'n barchus, gyfleus
Rhag tynnu sylw neb.
Ond 'sdim tân heb fwg;
Tithau'n llosgi dy fysedd
A minnau â 'nghalon yn golsyn byw.
Am hynny
Gad im' dy gasáu,
Gad i mi chwerwi,
Gad i mi ddigio,
Rhag iti 'ngorfodi i gyfadde'
Bod fy nghariad i'n dal
Ynghŷn.

Menna Thomas

Ad astra

Estyn am y sêr;
Myn geisio'u dal
Yn ddyrnaid o berlau
Eiriasoer wyn
Yn dy law.
Estyn
I gyffwrdd y gwyrthiau golau,
I'w taflu'n ddafnau o chwerthin
I dawelwch dy noson dywyll,
A theimlo wedyn eu glawio
Yn dyner ar dy wyneb.
Estyn am y sêr –
Dal dy ddwylo'n obeithiol
I gyrraedd yr anghyraeddadwy;
Gafael yn eofn –
Cau dy fysedd yn dynn
Am yr hyn na ellir ei gyffwrdd fyth.
Rho waedd yn y distawrwydd –
Dos,
Crefa am wyrth;
Crea o'th weddi
Risiau i'th godi
Yn nes at anterth dy nos.

Ac wedi iti fethu,
Cuddia dy wyneb eto
Yn siom yr ymdrech ofer;
Maga dy ddadrith
Yng nghrud dy ddwylo.
Yno,
Am ennyd,
Cei weld y sêr
Wedi'u dal yn deg
Yn ddisglair yn dy ddagrau
Cyn iddynt lithro rhwng dy fysedd
I'w sathru'n y llwch wrth dy draed.

Menna Thomas

Meddwi

Mae hi'n braf cael meddwi,
Meddwi ar eiriau,
Synhwyro'u blas
Yn gosi poeth ar wefus,
A'u rhollio'n araf dros dafod dychymyg.
Malu awyr am dipyn
Am fod blas mwy
Ar y diferion llawn.
Gwybod
'Mod i'n siarad dwli,
Siarad gormod,
Ond pa waeth heno?
Heno mae meddwi'n braf.
'Does gen i ddim amser
A 'does arna' i ddim awydd
Meddwl
Am adeg deffro 'fory
Pan fydd blas drwg yn sur ar dafod
A minnau'n gorfod wynebu
Cur pen gwybod
'Mod i wedi dweud gormod,
Wedi dangos gormod –
A thithau bellach wedi deall gormod
. . . Hangôfyr y 'difaru.

Menna Thomas

Sbarclar

Noson chwil o liwiau chwâl,
Enfysau'n ffrwydro'n siwtrws swnllyd
A chwerthin plant
Yn drybowndian drwy'r gerddi.
Rocedi
Yn frwshys paent hyd yr awyr;
Sbloet gogoneddus o hwyl llachar
Yn troelli'n chwrligwgan Gatrin
Ar bolyn,
Yn tasgu'n llifeiriant
O'i wâl bridd,
Yn saethu'n sbectrwm gwibiog
I'r entrychion.
Prydferthwch pell,
Y tu hwnt i afael busneslyd
Y bysedd bychain.
Ac yna – RHYFEDDOD!
Mam yn sodro'n ei law
Hudlath wefreiddiol,
Brigyn yn deilio'n ddisgleirdeb;
Harddwch hyd braich.
Crwtyn cegrwth,
Â'i lygaid yn grwn gan syndod,
Yn cythru'n farus am y gwreichion,
Yn ysu am feddiannu'r hisian gwyn.
Mam yn atal y dwylo prysur, penderfynol
Dro ar ôl tro,
Ac yntau'r bychan
Yn sgrechian ei rwystredigaeth
Ac yn byddaru'r nos â'i siom.
Crio,
Heb ddeall eto
Mai peth peryg, poenus
Yw harddwch.

Menna Thomas

Fy mara beunyddiol?

Fe gesglais bob eiliad ddiofal
    Yn ofalus
I'w pwyso a'u mesur ar glorian fy nghof;
    Moldio, tylino d'eiriau
Nes rhoi i'r meddalwch cynnes, annelwig
Bendantrwydd ffurf fy nychymyg i,
A theimlo llefain dy chwerthin yn codi 'nghalon
    Yng ngwres yr adnabod.

    Rhywsut,
    Anweddodd Rheswm
A diflannu'n slei bach
Ym mhrysurdeb poeth y paratoi.
'Ro'n i'n sicr y deuet i 'nghynnal
Â maeth munudau'n cwrdd a'n cyffwrdd,
    I ddigoni breuddwyd
    A rhoi blas ar fyw.
Gosodais le ar dy gyfer
Wrth fwrdd fy nymuniadau –
Fe drefnais i'r cyfan mewn ffydd . . .

    Ond 'dyw ffydd yn ddim
Heb amynedd y disgwyl.
    Ac oherwydd arafwch amser
    A brys y dyheu
'Does gen i ddim i'w gynnig iti heddiw;
    Dim gwledd o gysur cartrefol,
    Dim briwsion boddhad.
    Dim ond gobaith hanner-pôb
A dynnwyd cyn pryd o ffwrn y digwydd
    Yn does di-siâp.

Menna Thomas

Hynafiaid

Yng ngwyn eu hesgyrn trig fy nghynhysgaeth,
Eiddynt fy nicter a'm haml fwngleriaeth,
F'anrhydedd a rhinwedd pob gwroniaeth,
Y mae eu delw ar fy modolaeth,
I'w gwych a'u gwachul 'rwy'n gaeth – tan rwymau
Hen ddolennau tragywydd olyniaeth.

Nia Powell

I J.A.

Rhy hawdd yw coelio anwiredd calon
Am awel gynnes, am hwyliau gwynion
Pan ddiffydd malais, pan weli 'ngleision
Ei llygaid ddrych o'th enaid, a honno'n
Wefr a'i clymo i'th ddwyfron. – Ffydd, diau,
Wna anwir bethau yn wir obeithion.

Nia Powell

Profiad

Ei waith fu'i holl obeithion, – a chamau'i
Ddychymyg yn freision,
Nes i'r blwyddi dorri'n don
Ar chwâl dros fân orchwylion.

Nia Powell

Bechgyn Aberystwyth
(gydag ymddiheuriad i Dafydd ap Gwilym!)

Plygu rhag llid yr ydwyf,
Pla ar holl lanciau y plwyf!
Am na chefais, drais drawsoed,
Yr un ohonynt erioed.
Na llencyn, na phensiynwr,
Na gwrywgydiwr, na gŵr.

Pa rusiant, pa ddireidi,
Pa fethiant, na fynnant fi?
Pa ddrwg i ddyn dymunol
Fy nenu yn gu i'w gôl?
Nid oedd gywilydd iddo
Fy ngadael ei fwytho, dro.

Ni bu amser na charwn,
Ni bu chwant mor drech â hwn.
Ni bu nos yn y dafarn
Na bûm, ac eraill a'i barn,
Â'm wyneb at y bechgyn
A'm gobaith ar fachu un.
Ac wedi'r hir cilwenu
Dros ysgwydd at y llanciau lu,
Dywedodd un gŵr cadarn
Wrth y llall, i roi ei farn:

'Y ferch dew, draw, a'i chrechwen
A gwallt 'Boy George' ar ei phen,
Rwy'n meddwl, o'r arwyddion,
Mai tipyn o hwren yw hon.'

'Pa bwrpas cwrso honno?'
Medd y llall wrtho fo,
'Gwell gen i beint, a chwmni
Criw o fois, nag un ferch hy.'

Siom yn wir, i wylaidd ferch,
Glywed y geiriau diserch.
Mewn dig, fe ymwrthodaf
Â bechgyn atgas, ac af
Heb oedi mwy, gam wrth gam
At ferched Comin Greenham.
Rhwystredig serch a'm cynnail
Mewn cymuned pridd a thail.

Ffieiddio dynion rhagom –
Rhoi'n hegni i rwystro bom!

Ann Griffiths

Beijing, Mehefin 1989

Blodau'n gwywo o flaen y gynnau,
dawnsiwr yn herio'r hwligan,
a fflamau'n fflachio.
Hen ddynion bach a meddyliau llai
yn cyd-longyfarch, yn cyd-lawenhau.
Gwŷr ifanc, merched dewr, dyn yn croesi'r ffordd
yn syrthio yn sŵn casineb, yn trengi wedi trachwant milwr.

Yma, ar fy seld,
ar blatiau gleision yr helygen
nid yw'r coed yn plygu.

Eluned Rees

Marw'r castell

Awr ar y traeth
o godi, gosod,
tafod yn y golwg
wrth ymyl y gwefusau bach.
Awr o 'sgwyddau'n sgleinio
yn yr haul Ffrengig,
o ddiystyried galwad gwlyb
y tonnau tawel.

A dyma'r diwedd yn dod,
yn ymlusgo'n
nadroedd hudol gwyrddlas,
a phawb yn sefyll,
teulu, ffrindiau, dieithriaid,
yn gwylio'r lapio taclus,
a'r arch yn cau,
hyd yr atgyfodiad
nad edwyn neb.

Eluned Rees

Pysgodyn yn neidio yn yr afon Allier yn Vichy

Paham y dymunaist
adael caethiwed ocsigenedig afon Ffrengig
i neidio am eiliad
cyn llithro yn dy ôl?
Ai er mwyn efelychu'r elyrch ffroenuchel,
eu cychod gwynion
ynghlwm wrth fastiau eu gyddfau?
Ai er mwyn gwylio'r gwŷr difrifol
yn taflu eu peli cystadleuol
yn y tywod twym o dan yr helygen?
Neu i ddilyn llanw'r lliwiau
yng ngwres haul Awst
ac aredig llwybr arian
at wialen y pysgotwr serchog?

Eluned Rees

Mae'n trendi bod yn leffti yng Nghymru heddi . . .

Yn gydwybodol boliticaidd yr eisteddent,
yn sosialaidd goch
gyda'i gilydd,
byrlymai'r gwythiennau
gan gri'r galon egwan.

Tegwch!
Cydraddoldeb!
Gwrth-Apartheid!

Â'r beirdd hwythau'n cywyddu'r cwbwl
drwy gyfrwng cerdd a chân,
eu darlleniadau'n gwreichioni ar dân drwy'r meicroffon,
a phob tad rhigwm
yn adrodd ei blentyn:
yr hwn yr esgorwyd arno
gyda chymorth ysbrydoliaeth,
gweledigaeth,
a realaeth.

Cynganeddwyr
â'u gorchwyl cymdeithasol
yn hau had eu cydwybod ar euogrwydd ffasiynol y flwyddyn.

Ond rywle,
rhwng y byrddau bach,
y codi gwydrau,
y sychu gweflau,
y cyfleu syniadau
a'r bar gwlyb,
collwyd,
yng nghynddaredd gwerthfawrogiad,
neges y gerdd,
diflannodd ym modrwyau mwg y sigaret a'r stêm.

Mae'n trendi bod yn leffti heddi . . .
(hyd yn oed mewn darlleniad barddoniaeth).

Eleri Morgan

Sylw

Yn dew,
yn salw,
yn dwmplog,
yn blorrog:
Parhewch â'ch beirniadaeth gymdeithasol
sy'n tarddu o ffynonellau llyfn-sgleiniog
y *Vogue*,
Harper's, Cosmopolitan,
'*19*',
yn mowldio meddwl a chynllunio corff –
fydd o freuddwyd dyn
    ac o hunllef gwraig
      gyffredin,
        normal,
          ddi-nod:

  y fyfyrwraig ddiwyd, â'i bryd
      ar egni brys y bar siocled:
  arf i goncro noson arall o 'gramio';
y fam gymwynasgar-gyfrifol-am-ei-phlant,
    a phlant pawb arall:
      yn pigo ar weddillion y pryd pecyn
      wrth blesio pob un â'i ddant.

Pam?
Beth yw'r atynfa at y tudalennau troedig;
y teledu tanbaid ei wres, a
gwreichion yr hysbysebion gwallt a sebon a sent
sy'n oeri oriau diddanwch dynes
ddi-nod,
normal,
gyffredin?

Eleri Morgan

Huw

Blentyn,
dyro i mi beth o'th ddiniweidrwydd,
dyrnaid feddal
i feddwi arni yng nghrafanc oedoliaeth.
Rhy hen wyf i sawru swyn
rhyfeddod,
dadrithiad yw pob breuddwyd bellach,
diobaith
a digysur yw realaeth.
Rho i mi
lond llwy o'th syndod wrth ganfod gwyrth
bodolaeth,
a chael blasu'n awchus
dy damaid i aros pryd.

Eleri Morgan

Llithro heibio

(Munich, Mawrth 1991)

Mae hoglau glân ar yr Almaenwr ifanc
sy'n pwyso dros y ford, hoglau fforestydd
ac eira sy'n disgleirio yn yr haul
fel darnau mân o wydr wedi'i dorri

ac mae'r ddinas
yn llathru heibio inni ar yr U-bahn
ar olwynion llyfn mae rhywun wedi'u oelio
a dan ni'n gwbod
fod popeth yn mynd i ddigwydd fel y dyle fo

ac wrth olau cannwyll dan ni'n sôn am ryfel
ac yn edrych i'n pelen hud
i weld pobl sy'n byw y tu draw i'r eira –
tynnu lluniau o'r Gwlff ar y lliain ford
a defnyddio'n napcynnau
i ddynwared safle'r tanciau
ac wrth olau cannwyll mae'r nos yn llithro heibio
yn chwim, fel plentyn sy' newydd ffeindio
ei fod o'n medru sglefrio

Yn y dre heddiw
mi welais i ddyn
yn tynnu gwydr o bib
roedd o'n sugno dim ond awyr
a'i droi o'n freuddwyd i gyd

ac ar y brigau noeth mae ei gylchoedd gwydr yn
crogi
a'u lliwiau yn borffor ac aur
mae rhyw gyfrinach yn eu gwneud
sy'n rhy ddrud i mi ei phrynu
sy'n rhy frau i'w chludo adre i Gymru

a dan ni'n llithro heibio wrth olau cannwyll
ac mae'r cledrau yn hynod o syth
yn llithro heibio ar olwynion wedi'u oelio
yn llithro heibio am byth am byth am byth

Elin ap Hywel

'Sgubo

Am ryw reswm rhyfedd,
'does yna nunlle i adael eich bagiau yn stesiwn ganolog Belffast.
Felly, tra'n aros trên
ar bnawn Sul eciwmenaidd ei ddiflastod,
rhaid oedd bugeilio'r darpar-fom,
ei warchod yn ddefosiynol
– rhag ofn i'w gynnwys peryg' ffrwydro
gan daenu deg pâr o deits du
i chwifio mewn modd catholig
dros doeau defodol
y ddinas gyd-enwadol.

Ac wrth i'r glaw ddechrau gollwng
bwledi meddal o ddŵr
i danio dawns
ar y to tun,
sylwais fod gennyf gwmni,
– dyn ifanc, mewn dillad du
wrthi yn 'sgubo sbwriel nos Sadwrn o'r llawr.

Fe'i gwyliais, gan gredu i ddechrau
mai bygwth budreddi,
alltudio anhrefn
oedd bwrdwn y symudiadau sydyn,
nes deall
fod gwanu herciog y brwsh
yn dangos ysfa fwy na'r angen
i glirio llanast' pobl eraill.

A phan ddaeth y trên,
ddwyawr yn ddiweddarach,
a'r llawr, ers meitin, yn lanach na chrys-nos lleian,
'roedd wrthi o hyd yn 'sgubo
llwch dychmygol dan garped anweledig.

Elin ap Hywel

Cyn y don nesaf
(dolffin ym Mae Ceredigion)

Chwilio'r bae â llygaid blin, a gweld
Ystwyll ar ganol ha' yn Aberystwyth

– Epiffani, noson y rhoddion rhyfeddol
a'r pnawn yn pefrio fel papur anrheg plentyn –

Dylan eildon, maban yr haul a'r heli
Yn chwerthin yn dy grud, dy wely gwyrdd
heb fam i suo'th ddagrau ond y tonnau.

Ninnau, yr annoethion, yn nesáu
I osod ein hanrhegion ger dy fron –

Ffydd, gobaith, cariad, yn gyfnewid
Am ennyd o ddiniweidrwydd cyn y don,

Cyn y don nesaf.

Elin ap Hywel

Nos Galan

Syllaf ar yr eira'n disgyn
fel plu mân alarch
yn gorchuddio'r ddaear.
Gorchuddio'r olion hynny
a wnaed y flwyddyn gynt:
olion camgymeriadau,
euogrwydd a chwerwedd,
a'u hymguddio dan ei garped tyner, pur.
A gadael y ddaear yn barod
i'w throedio a'i thrin
unwaith eto.

Tybed, ymhen y flwyddyn
a fydd rhaid i mi
edrych dros fy ysgwydd ar eleni
a gobeithio am gawod drom arall
i guddio'r un camgymeriadau,
yr un euogrwydd a chwerwedd?

Neu a fyddaf wedi dysgu
wedi cryfhau
wedi aeddfedu?

Mi wn un peth:
mae drws blwyddyn newydd ar agor.
Mae'r daith ar ddechrau.

Elsie Kitchen

Chwyldro

YR ACT GYNTAF

Cyfyd y llenni ar y pentref –
saer crefftus fu'n cynllunio'r set;
pagoda yng nghysgod pinwydd,
coeden geirios ar lan afon,
a phont hynafol yn arwain
at afallon o ynys.
Daw gorymdaith y gwanwyn,
fel un o dduwiesau'r mynydd,
i arogldarthu'r pentref;
pryfaid tân yn pefrio yn y cysgodion,
dail tenau'n crynu ger y ffynnon,
a chrëyr unig yn hedfan
uwchben ehangder o reis.
Daw trigolion o'u tai,
i wthio cychod i'r dŵr,
i hadu'r caeau gwlyb,
i sefyllian ar y bont;
defod pob gwanwyn ers canrifoedd.
Cychwyn araf, disymud i'r ddrama,
gyda phawb yn cymryd rhan fechan,
ond neb yn disgleirio ar y llwyfan.
Cipolwg o gartref
yr un sy'n aflonyddu
am gael dianc i'r ddinas
i ddarganfod rhyddid.

YR AIL ACT

'Anfonwyd y fyddin o Beijing
i ddelio ag elfennau terfysglyd,
ac i gynnal cyfraith a threfn,'
meddai lleisiau cras y corws.

Blant fy mhentref!
Blant y Wladwriaeth!
Nac anghofiwch y plant
a fu'n ymladd drosoch chi,
y genhedlaeth a feiddiodd
herio grym yr awdurdod hwnnw
a fynnai droi ffaith yn ffuglen.

Dyma ni, yr elfen derfysglyd,
yn eistedd yn llonydd,
yn gweld lluniau o ryddid y dyfodol
yn orielau'r meddwl,
yn barod i aberthu popeth
er mwyn democratiaeth.
Milwyr gwallgof yn ein llygadu,
cannoedd o filoedd ohonynt
o'r un oed â ni,
gyda'u hwynebau glân barbaraidd
yn bypedau cynddeiriog y Llywodraeth,
sathru a dinistrio pobl
a'u troi'n gyrff,
i losgi'n wenfflam mewn hen gerbydau,
hen bobl a phlant
na wnaethant lafar-ganu
na gweiddi yr un slogan,
yn troi'n llwch
yng ngweddillion brwnt cerbydau du.
Cigyddion y Seithfed Fyddin
yn malu a malurio
gwerin a freuddwydia am ryddid.
Uchafbris protest heddychlon
yw hunan-aberth.

Un eiddil mewn crys gwyn
yn sefyll fel Dafydd
o flaen y Philistiaid
yn darostwng y cewri
heb arf yn ei law,
yn poeri ar y dreigiau dur ysglyfaethus,
ac yn eu gorfodi i wyrdroi
o'u gorymdeithio buddugoliaethus
tuag at y Ddinas Waharddedig.
Un dewr yn gweiddi yng nghlustiau'r ddraig,
'Peidiwch â lladd eich pobl!'
a'r dorf yn cymeradwyo
heb yngan yr un gair.

YR ACT OLAF

Barrug yn cuddio'r Sgwâr gaeafol
fel cwrlid o farmor ar lechen carreg fedd.
Datgana'r corws
fod pob ddim yn ddistaw,
fod y gwrthryfela wedi peidio,
a bod grym yn teyrnasu unwaith eto.
Ar gyrion y llwyfan disgleiria'r goleuadau
ar gorff diymadferth,
wedi fferru yn yr anghyfiawnder,
y gormes wedi gwanhau'r gwythiennau,
a'r galon ddiffrwyth
wedi trengi dros dro yn y trais.
Prin ydyw gobaith
ond fe bery llygedyn ohono
yn y corff llonydd ar y llwyfan;
Mae'r meddwl yn finiog fyw
wedi ei hogi gan y cyd-brotestio.
Wrth i'r llenni ddisgyn,
cyn i'r cast orymdeithio tuag adref –
y milwr i'w wersyll,
a'r myfyriwr i'w goleg –
cyn chwalu'r set,
mae'r aflonyddwr wrthi'n llunio sgript
y ddrama fawr nesaf.

Non Indeg Evans

Y sgitsoffrenig

Dim ond i mi gael yr hawl
i weithio tu ôl i ddesg,
i wynebu her,
ac i gasglu cyflog
bob mis,
dim ond i mi gael yr hawl
i feddwl, i greu,
a gwneud i'r ymennydd
redeg ras rwystr,
a chyffwrdd bysedd ei draed
bob dydd,
dim ond i mi gael yr hawl,
fe wna i, yn sgitsoffrenig
y golchi, a'r smwddio,
y tacluso a'r glanhau.
Fe wna i newid y dillad gwely
a golchi'r llenni net
bob mis Mai.
Ond
paid
paid gofyn i mi
fod yn forwyn llawn-amser,
Paid gofyn i mi fod yn wyneb
tu ôl i'r llenni net.
Paid gofyn i mi fod yn gaeth.

Paid gofyn
be wnei di pan gei di blentyn
ac yntau'n sibrwd rhwng ei ddagrau
'Paid mynd a'm gadael i heddi
Mami.'
Paid gofyn.
Paid.

Lona Llewelyn Davies

I Medyr
(sy'n deirblwydd oed erbyn hyn)

Siarc wyt ti
Medyr Llewelyn,
Siarc deufis oed
yn llowcio'n farus
y cysgod
sy'n nofio'n ddiniwed
yn dy fôr bach di.

Ond
nid nofio heibio
wnes i.
Allan o fy nghroth i
y doist ti.
Fi roddodd fywyd
i ti.
Ac 'rwy'n dal i roi,
darn wrth ddarn,
fy amynedd,
fy nghariad
fy ymennydd
fy enaid.

Tra bo pawb
yn canu grwndi
uwch dy ben
ac yn dotio at
dy drwyn bach smwt
a'th lygaid del,

tra bo hyn i gyd,
y cyfan wela i
yw dy geg agored
yn nofio'n syth
at y darn blasus
olaf
o'r hyn a elwais
unwaith
yn
fi.

Lona Llewelyn Davies

Be wna i

Beth wna i ysgwn i
pan na fyddi di,
pan na fyddi di
a minnau'n dal ar ôl
yn weddw.
Fy nghalon yn hen ddant llidus
a'i wreiddiau'n ddwfn
yng nghnawd briwedig
yr enaid,
a'r fodrwy ar fy mys
yn efyn haearn trwm?

A fydd perseiniau esmwyth, hudolus
y Beibl
yn gysur i mi?
A fydd breichiau ei eiriau
yn fy lapio i'n dynn,
a bysedd ei sillafau
yn anwylo gofidiau'r dydd?

A fydd cariad fy mhlant
yn fy nghynhesu,
a chyfeillion a sgwrs,
a rhyw bwyllgor neu ddau
yn llanw fy myd?
A fydda i'n gallu byw hebot ti?
A fydda i'n gallu troi fy nghefn ysgwn i
ar yr ysfa
i'th ddilyn di?

Beth wna i ysgwn i
pan na fyddi di,
pan na fyddi di?

Lona Llewelyn Davies

Gad i mi

Gad i mi
a thithau yn dy benbleth
dy fagu
a'th ddal yn dynn.

Gad i mi
a thithau yn dy boen
dy siglo
a sibrwd yn dy glust
hisht hisht.

Achos
dwi'n ferch
ac mae'n iawn i ferch
ddal dyn
at ei bron.

Mae'n iawn i mi
gusanu fy ngŵr
yn y *Conway*,
a datgan i'r byd
'mod i'n ei garu.

Mae'n iawn i mi
ddal ei law yn *Tesco*
cyffwrdd ei foch
ac ysu am ei gael i'r gwely.
Mae'n iawn i mi

Ond nid i ti.

Achos
rwyt ti'n wahanol.
rwyt ti'n wrywgydiwr
a 'dyw gwrywgydwyr
ddim yn gallu caru, ydyn nhw?

Lona Llewelyn Davies

Priodas

Llithrodd y fodrwy
yn hawdd ar fy mys
er 'mod i'n
boeth ac yn chwyslyd
a'r capel bach oedd dan ei sang
yn gwasgu,
gwasgu
ar fy mhen.

Mor hawdd
oedd ei gwisgo
a'i harddangos i'r byd,
yn gampwaith ddisglair,
yn gylch bychan,
perffaith grwn.

Ond,
tardis o beth ydyw,
tardis sy'n ddrws
i deyrnas
heb ffin,
i fôr difesur,
diderfyn, didor,
sy'n llawn o gecran a maddau,
o amynedd a chydymdeimlad,
o dderbyn a rhoi,
o garu a phoeni
nes fod y galon
yn gwingo.

A ninne,
wrth i ni
adrodd ein haddewidion
'doedden ni'n ddim mwy
na dwy gragen fach fregus
yn cwtsho'n ddiniwed ar y lan.

Lona Llewelyn Davies

Dwy graith

Mae gen ti ddwy graith
ar dy dalcen, Medyr,
dwy graith fechan wen.
Syrthio yn y bath
wnest ti'r tro cyntaf,
a'r eildro
rhedaist yn erbyn celficyn pren.

Rheda yn awr i 'mreichiau i.
Syrthia'n goesau a breichiau,
yn llygaid disglair,
a pharabl dibaid
i'm côl.
Gad i mi dy gwtsho.
Gad i mi dy wasgu'n dynn.
Gad i mi dy faldodi
fel nad oes raid i mi
wrando ar y llais
sy'n gweiddi;
'Pa fath o fywyd gei di Medyr?
Beth ddaw ohonot ti
mewn byd sydd mor barod
i greithio
i greithio
hyd yn oed
wyneb plentyn bach?'

Lona Llewelyn Davies

Esgyrn sychion
(**Y catacombs ym Mharis**)

Dan draed ar y palmant gwlyb
mae swp o ddilladach carpiog yn crafu byw,
a'i hwyneb yn ymbil am geiniog;
ac yn ei chôl
rhyw fymryn o blentyn blêr
a'i lygaid pŵl yn sgleinio'n grwn
fel y sylltau nad oes gobaith eu cael.

Prysuro heibio wna'r un â'r minlliw coch
mewn byddin o gotiau ffwr yr *haute couture*;
gwasgai'n dynn y darnau aur a losgai'n ei phocedi,
a gadael dim ond ogla' persawr drud
yn atgof o'r gagendor rhwng dau fyd.

'Mhell oddi tanynt mae byd y 'sgerbydau:
ymerodraeth y meirwon.
'Sgerbydau mewn haenau hir
yn gorwedd blith-draphlith heb drefn;
di-wên benglogau diwyneb,
fel doliau mewn ffatri yn disgwyl eu tro
am finlliw coch a bochau ar eu masgiau digynnnwrf.

A fu'r benglog frau ar 'sgwyddau sgwâr
rhyw urddasol ysgolhaig?
Ynteu ai palmentydd gwlyb a gafodd yn obennydd?

Heno, nemor esgyrn sychion yn un swp,
heb enaid, heb enw. Rhai fu unwaith mor wahanol
yno'n gelain â'i gilydd,
a'r gagendor wedi ei gau.

Nia Owain Huws

Meddyliau wrth i fi goginio neu eisiau bod yn wyrdd

Mae panas yn addas
A chennin heb fenyn –
Ond mae moron yn *master*.

Mae tatws yn dlws
A reis yn neis –
Ond pasta yw'r *ffasta*.

Mae olew yn go lew
A bloneg yn annheg –
Ond mae braster yn *disasta*!

Lis Woolley

Dafydd

Mor anodd yw gweld fy mhlentyn
yn lwmp o lysnafedd, moel a di-ddannedd –
y baban a dyfodd mor sydyn.

Gallwn weld fy llun ym mhyllau pur dy lygaid.

Dy wyneb ar gau. Arogl mwythau
wedi lapio'n dynn amdanat
ac o ffyn dy grud hymian hwiangerddi
yn cario'n donnau berfeddion nos.

Llithriadau dy lafariaid cyntaf fel petalau briallu'n disgyn
a chrensian cyffrous dail crin yn dy gytseiniaid cynnar.

Fe'th gedwais a'th gloi yng nghaer fy nghariad.

* * * * * * * * * * * *

Heddiw, a'r gwynt yn gafael, gwelais di a'th gôt ar agor
yn sbodlian yn y pyllau, a'r mwd yn frech.
Ar draws dy wyneb saethodd syndod y sblashio sydyn
dy ddwylo'n codi'n donfeydd. A dy lygaid yn bell bell.

Esyllt Maelor

Mam a gwraig tŷ

Mae llygaid y platiau ar y ddresel wedi serio arnaf
a bathiad y ddannodd yn nhipiadau cloc y pobty.
Catrawd o filwyr yw'r pegiau llonydd
ac mae plygiad Ty'n y Fawnog yn y siôl ar y lein.
Mingamu wna gweflau'r handlenni pres
a phlorod yw dyrnau'r cypyrddau yn y parlwr bach.

Mae wynebau waliau'r 'stafelloedd yn erfyn amdanaf,
a'r ceffylau bach ar eu meri-go-rownd ar wal y babi
yn gwichian nôl a blaen, nôl a blaen.

Pob jig-so wedi'i sbydu, yn ysu am anwes.
Cabalfa o geir bach cegrwth yn pledio am gau ac agor eu drysau,
eu gyrru, parcio a'u gyrru eilwaith.
Peli yn blysio am eu cicio, pledu, taflu'n orffwyll, a'u drybowndio ar draws yr
    ardd.
Mochyn plastig yn rhochian a'r fferm yn Sioe o wartheg, briwsion, bisgedi,
    defaid a cheffylau gwêdd.

Mae gwydrau'r glaw llonydd yn llygadu trwy'r ffenestri,
gwynt yn cosi'r cyrtans a phwffian chwerthin dan y drysau,
cadachau haul yr hwyr yn herio wrth ddwyn stribedi'r llwch
cyn ymroi i ddangos ei hun a swagro'n rhodresgar yng nghefn y tŷ.

Diwrnod arall yn hel ei draed o funud i funud, o funud i funud.

Esyllt Maelor

Mam eto

(Fy mab ar ei wyliau cyntaf)

Tŷ gwag, dideimlad
arogl mwll ymhobman.
Tŷ dod adra iddo ar ôl gwyliau.
Gwahanol a gwyn.

Mae'r ddresel wrth y drws yn brifo'r llygad newydd
ei raen yn rhychau glan môr
a'r ddwy handlen yn glust dlysau crynedig.
Dreifio ar hyd lôn y sgyrtin newydd
pasio'r wynebau ar y silff-ben-tân,
a blodau naïf plant bach ar y carped coch.
'Rwy'n gweld petha' – papur wal, celfi, creiriau
ac mae sawr eli dodrefn yn hofran yn y llofftydd.
Mae'r lle 'ma fel carreg las yn y bore bach
a'r trai wedi'i golchi'n lân.
Egyr ei gwefusau ac mae'r geg yn wag.
Felly'r tŷ hebot ti.

Esyllt Maelor

Ffrind (30 oed)

Bûm yma o'r blaen. Droeon
a'r coed yn ymbincio yng ngwydr Llyn Mair
yn swil yn eu dillad newydd ac yn gryndod i gyd
wrth i'r awel oglais eu gwyryfdod.

Gwelais hwy'n torheulo ar eu gwely haul,
pelydrau'n wincian a phipian heibio corneli'r cymylau,
a sisial sibrydion a straeon yn hel ar draws y dyffryn.

Gwelais hwy'n taflu gwalltiau i'r gwyll a'u sigl a'u swae
yn herio disgo'r nos. Codasant eu sgerti dan fflachiadau'r sêr
a'u cyrff yn ochneidio'n rhythmig i drywaniad y gwynt.

Gwelais eu rhyndod ofnus, y minlliw'n drwch
colur yn blastar blêr ar wythiennau chwyddedig.
Wynebau cyrliog crynedig a'r drych oddi tanynt yn graciau i gyd.

Bûm yma o'r blaen, droeon
gyda ti,
a thi,
a thi.

Esyllt Maelor

Actores – yng Nghymru

Mae'n gorwedd yng nghorlan ei gwely a'r llenni ar gau.

Mewn parlyrau chwyslyd mae merched yn llifo'i gwallt, ei glymu, a'i godi,
yn hogi'i hewinedd a pheintio'i chroen cardbord.
Ei dillad ar sioe a'u steil wedi'u gwasgu dros gyrff tindew.

Mewn theatr a thafarn cil-wena cyd-weithwyr gan rewi pob ystum a shot,
eu clustiau'n jario pob cytsain a sensro pob gair yn ei sgript.
Llithra'n lluniaidd o lymaid i lymaid a'i henw'n arnofio yng nghwrls y mwg.

Ac allan yn fan'na mae o, wedi bod yn gwledda arni
wedi cnoi ei gil, ei llyfu, ei brathu a'i sugno'n sych
cyn ei phoeri ar y pafin a'i gwasgu'n gyflym dan wadn ei droed.

Mae'n gorwedd ar lwyfan ei gwely a'r llenni ar gau.

Esyllt Maelor

Nain

Ffenest car fyglyd a'r glaw mân heb sychu arni,
ffenest sy'n eiriol am gadach i'w glanhau.
Ffenest a wêl trwy ffenest a wêl wal gefn garegog,
frawddeg y lein ddillad wag drwy'r dydd, bob dydd.

Ond pan fo'r prynhawniau'n hel eu traed
a sŵn y distawrwydd yn cloi'r drysau, egyr y ffenest.
Daw megin y gwynt i fochio'r siwmperi gwlân. A'r trowsusau bach,
y ffrogiau a'r peisiau yn fyr eu hanadl wrth weld
cynfasau'n tin-droi ar drapîs y sioe.

Fin nos wedi'r sychu, y plygu a'r cadw daw niwl y môr i wnio'i lês
ac wrth i'r llenni gau llithra dagrau'r glaw yn dawel dawel.

Esyllt Maelor

Ffiniau

(Er cof am Helen Thomas a laddwyd yn Greenham 5 Awst 1989)

Olion traed oedd y caneuon cynnar
fu'n cledru daear,
ymysg miwsig a mwswgl,
mydrau'n mydylu
wrth droi'r safanna yn ddi-safn.

A chwiorydd o Gymru a aeth
yn sobr, nid fel gwŷr Catraeth,
o wylofain tonnau'r Gorllewin.
troi cefn ar niwl Neigwl
a chrymanau'r coed,
alawon o wragedd,
        eu melodïau'n dresi aur
wrth ystlys heolydd.

Croesi ffin, cyrraedd Greenham
esgyn fel madarch gwyllt yn y gwlith
mewn plygain, ar bengliniau.

Ffrwythau bob tymor:
eirin aeddfed, weithiau'n aeron,
ym mis ein gwledda
wrth in gerfio'n cigoedd,
llafnoch i'r bôn-dangnefedd.

Ond heddiw, hawliant y Comin
a hawlfreintioch yn werddon
y crastir lle bu cur
ar ochr pafin;
yr erwau dulaswyd
nes i'ch egin ateb nôl
y silos gyda saffrwm.

Yno mae sidan awyr dy seintwar
sy'n ddioror i bob un wâr.

Ar ymyl ein gorwel heno,
y ffiniau a safant yn erbyn ffydd,
braidd y'u gwelaf yn gwrido.

Ar ddibyn ein hwyrnos heno,
y ffiniau sy'n llechu ffawd
ond ble mae'u noddfa?

Ar linyn pob tymestl heno
mae muriau'n gwegian wrth atal
gwerinoedd rhag cael anal.

Ac olion traed *newydd* ar y tir.

Menna Elfyn

Misglwyf – mis-y-clwyf

Bu rhyfeddod fy llif misol
yn rhan o'm dirgelwch erioed,
yn fellt a'i enw'n 'felltith';
dan wedd – golau leuad,
taran cur cyn taro croth,
a'i ddrycin. Dôi'n ddiwahoddiad,
galw'n gynnar i gael lloches;
dysgais fel arloeswr bywyd
ei ddathlu, weithiau'i dderbyn
yn berthynas drafferthus,
neu'n ffoadur ynof
am greu gwewyr:
pwyso fy ffyddlondeb i'w gyfrinach
yn gylch, weithiau'n gyrch *am* fy mod.

Bu rhyfeddod y llu milwrol
yn rhan o'm dirgelwch erioed,
mor ddigaethiwus-afradlon
y gallent dreiddio'r ddaearen,
tresmasu dros berthnasau gwaed,
digadach a *digadachau* –
ac eto mor anniddig eu byd
pan ddôi ffrwd sgarlad benyw i'r fei;
deall a wnânt ddulliau anghyfrin
briwiau-gwneud a meinwe ar chwâl:
eu gwaedlif nhw yw brwydrau a brol;
rhan o'u cylch misol agored
yw gweld y cread fel croth
i'w cheulo â galar.

Mis-y-clwyf sy' ar y byd
a minnau'n *gwaedu*;

'Seneddwyr, mae ynof yr awydd i offrymu 'ngwaed
yn dywelion drycsawrus – wrth eich traed.'

Menna Elfyn

Ffarwel y twrch daear

Rwyt ti wedi mynd, y melfed,
I'r bur hoff bau
   Ar draws yr afon
     I'r gweryd
I ble bynnag y bydd tyrchod yn mynd
I fagu adenydd
Ond – dyma dy law.

Esgyrn bach gwynion ar bincws melfed y mwsog,
Ewinedd hirion Mandarin
Cefn llaw fach sgwâr
   Yn blethwaith o esgyrn cywrain,
Asgwrn braich,
Asgwrn ysgwydd . . .

Llaw fach brysur y pridd
Bellach yn fodfedd helaeth o
Lonyddwch.

Onid fel hyn y daw i'n byd
Ysgerbydau anweledig
   Llygod, ystlumod, tyrchod
Wedi eu lapio mewn modfeddi o flew?
Pob un yn berffaith
Yn ôl y patrwm –
Miloedd ar filoedd o esgyrn ifori cywrain
Yn gwau o'r golwg yn y cysgodion
Heb i ni eu gweld –
       Heb ddod i'n golwg ni,
       Ni, yr esgyrn dwylath.

Nesta Wyn Jones

Ar ôl y rali
(Gydag ymddiheuriadau dwys i William Jones)

Pwy ydyw dy gariad, lanc ifanc o Lŷn,
Sy'n rhodio'r heolydd fel hyn wrtho'i hun?
'Fe ddois gydag Esgort o ardal go bell,
Un clyd iawn ei fodi, ni welwyd ei well.'

Pa liw yw dy gariad, lanc ifanc o Lŷn,
Sy'n troedio'r hen ffosydd fel hyn wrtho'i hun?
'Ei ddrysau fo'n gochion a'i do fo yn las,
A streipen o wyn, *yeah*? O gwmpas ei gâs.'

Sut wisg sydd i'th gariad, lanc ifanc o Lŷn,
Sy'n cicio'r clawdd cerrig fel hyn wrtho'i hun?
'Wel, 'IO' ar ei ochra, y nymbars ar daen,
A chwe lamp fowr felyn ar hyd ei ben blaen.'

A nogiodd dy gariad, lanc ifanc di-lun
Sydd ar ei bengliniau fan hyn wrtho'i hun?
'Ni nogiodd fy ngherbyd, ni nogiodd erioed
'Run acselyrêtor dan wadan fy nhroed.'

Pam, ynteu, daw'r dagrau, lanc difyr dy fyd,
I'th lygaid wrth orwedd yn fflat ar dy hyd?
'*Doing a ton, yeah? I hit a stone wall . . .*
Mae'r car yn y sgrap, *mun*, a fi ar y dôl.'

Nesta Wyn Jones

Ab Afrad

Plentyn siawns
afreolus
yr oes.

O lwynau dyn
crëwyd cawdel
di-fedydd.

Yn fythol effro
yn ei grud o arch,
chwerthinwyd
ar ei wên angeuol.

Magwyd
ar ludw ein gluniau,
ein difaterwch
yn fara i'w awch.

Cropian . . .
. . . cerdded
a'n hamynedd
yn felys i'w ffrwynau brwd.

Mewn ennyd,
yn rhedeg
heb barch at bared,
a'r ddaear
yn dyst i'w ddistryw.

Yn fythol fab
i'n moethusrwydd,
daw
wedi tramwyo byd
i ddychwel
yn ddi-groeso
at y tad afradlon.

Ar y rhiniog

. . . Mae poer
yn tasgu o'i weflau
wrth wynto'r caniau crin
         a'r shampŵ.

Pardduai'i ffroenau
    dan wenu
uwch y simne.
Llaesai
yn llif y trydan drwy'r to
tra'n llyfu plwm yr aer,
a'i sgyfaint
yn blaguro o gancr.

Daw i guro wrth y drws.

Teimlwn ei wres
    drwy dwll y clo
yn gwywo'r rhosod.
Codwn
a chasglu'r petalau
cyn chwilio am y goriad
coll.

Mae'n curo eto.

Amser i fagu,
    amser i weu.
Y gweill yn brathu'r bysedd
a'r gwaed yn diferu
         ar y gwlân gwyn.

Mae'n curo
cnoc llanc yn llwgu

Siaradwn yn uwch . . .
. . . rhown y tegall 'mlaen,

a thrwy ddagrau'r ager
   ar y ffenestr
      gwelwn
ein hesgyrbydau'n udo
wrth esgor ysborion
a'r
cynrhon yn erydu'r enaid.

        Caewn y llenni.

Y llaeth wedi suro –
llosgwn ein tafodau
        â'r baned boeth.

            Yn ddi-flodeuyn
            chwistrellwn berlau brwnt
            i euro awyr.
            Anghofiwn
            bod cerrig
            tu ôl i'r papur wal.

Edrychwn ar y cloc,
'amser swper broniawn'

        Clywn ei ewinedd
        yn sgathru'r pren
        â'i hogi di-flino.

Curai eto
ac eto . . .

        Mae'n dal i guro
        wrth y drws.

Siân Llewelyn

Cwmwl (o Chernobyl 1986)

Fe'th welais o'm ffenestr lofft
yn herio nos ar fy ngwanwyn,
a rhwygo
pais bro fy mebyd
i'w maeddu â'th aflendid.
Dy grafangau
yn tynnu'r edau
    i gwlwm nadroedd.

Yn dawch tawel
o amhuredd atomig,
llechaist
uwch doldir
a halltu gwychter dyffryn.

Cofiaf Glwyd yn un gysgod
a'i nen yn drwm
dan y tarth du.

Mewn amrantiad
diflannaist
a gadael bythol efrau
ar Foel Famau.

Dirdroaist
fy ngobeithion
yn hunllef
o betalau brau,
di-liw.

Dygaist
y mannau mwyara
a hybu drain i waedu eira.
Tynnaist
ramant y rhosfa
gerfydd ei gwreiddiau
a throi safanna
yn gofeb i'r cof.

Sisialodd dy haint
yn y nentydd
gan bylu awel y pysgod
a hodi distryw
ym mêr helyg.

O'm ffenestr lofft
mae
grug Moel Arthur
yn patrymu cynfas y caeau,
ac o boen clwyf
yn clwydo gwynfa
i fythol 'aeaf.

Halogedig un
    y dwyrain,
deuaist draw i wagu preseb
ein hendre,
a chneifio'n anweledig
â'th wenwyn
i dawel dreiddio'r ŵyn
drwy'r gwair.

O goron ddrain
    i'r carn
mae'n fythol ddiodde.
Y mab yn erbyn y gwir Fab.

Wylais am yr oen
ac am y goeden gellyg
a blannais yn wyth oed
nawr
pwdr ei sudd.

Bu'r sarff
yn ein gardd ni
hefyd.

Siân Llewelyn

Elin ap Hywel Bu'n byw am gyfnodau yn Nhrefach, Llanelli a Wrecsam. Enillodd Fedal Lenyddiaeth Eisteddfod Genedlaethol yr Urdd Bae Colwyn 1980 am y gyfrol *Cyfaddawdu*. Cyhoeddodd *Pethau Brau*, cyfrol yng Nghyfres Beirdd Answyddogol y Lolfa yn 1982. Cafodd ysgoloriaeth gan Gyngor Celfyddydau Cymru yn 1991 i ysgrifennu'n llawn amser.

Menna Baines Magwyd yn Llanerfyl, Dyffryn Banw, a Phen-y-groes, Dyffryn yn y Nantlle. Graddiodd yn y Gymraeg yng Ngholeg Prifysgol Gogledd Cymru, Bangor, yn 1986, a threuliodd ddwy flynedd arall yno yn ymchwilio i fywyd a gwaith Caradog Prichard. Bu'n is-olygydd celfyddydau i'r cylchgrawn *Golwg* am dair blynedd ac ar hyn o bryd mae'n olygydd *Barn*.

Lona Llewelyn Davies Cafodd ei geni yn Rhydaman yn 1961, yn ferch i weinidog gyda'r Annibynwyr. Symudodd i Landysul yn 1971, a rhwng 1979 a 1982 bu'n astudio Cymraeg a drama yng Ngholeg Prifysgol Aberystwyth. Bu'n gweithio fel ymchwilydd i'r BBC ac i Ffilmiau Elidir ac ar hyn o bryd mae'n is-gynhyrchydd yn yr Adran Feithrin yn HTV. Mae'n byw yng Nghaerdydd gyda'i gŵr Eirian a'i mab Medyr.

Hilma Lloyd Edwards Ganed yn y Bontnewydd. Aeth i Goleg Prifysgol Abertawe lle graddiodd mewn hen hanes. Erbyn hyn mae'n newyddiadurwraig i'r *Cambrian News* ym Mhorthmadog. Mae'n awdur wyth o nofelau.

Non Indeg Evans Cafodd ei haddysgu yn Ysgol Maes Garmon, yr Wyddgrug ac yng Ngholeg Prifysgol Gogledd Cymru, Bangor lle y graddiodd yn y Gymraeg yn 1990. Ar hyn o bryd mae'n gwneud gwaith ymchwil yn Adran y Gymraeg ym Mangor ar waith y bardd Alun Llywelyn-Williams. Enillodd Gadair yr Eisteddfod Ryng-Golegol 1991. Mae'n gweithio'n rhan amser ers pedair blynedd bellach yn Nhafarn y Glôb ym Mangor Uchaf.

Delyth George Magwyd Delyth George yng Nghefneithin ger Llanelli. Fe'i haddysgwyd yn Ysgol Ramadeg y Gwendraeth ac yng Ngholeg Prifysgol Cymru Aberystwyth lle graddiodd yn y Gymraeg. Yn 1987 derbyniodd ddoethuriaeth am ei thraethawd ar 'Serch a Chariad yn y Nofel Gymraeg 1917–85', cyn cyhoeddi erthyglau yn *Barn, Y Traethodydd* a *Llên Cymru*, a chyfrol ar *Islwyn Ffowc Elis* yn y gyfres Llên y Llenor (1990). Mae'n swyddog golygyddol gyda'r Cyngor Llyfrau Cymraeg.

Ann Griffiths Ganed yng Ngarnswllt ger Rhydaman. Addysgwyd yn Ysgol Gyfun Ystalyfera a Choleg y Brifysgol Aberystwyth lle enillodd radd yn y Gymraeg a doethuriaeth yn 1988 ar y pwnc 'Y syniad o genedl ym marddoniaeth yr Uchelwyr 1320–1600'. Y mae'n byw yn Llundain ac yn gweithio fel cyfrifydd i gwmni Cable and Wireless. Y mae'n briod a chanddi un plentyn, merch fach.

Nia Owain Huws Ganed yn 1965 ym Mangor. Bu'n byw yn Llanuwchllyn, Tywyn a Chaernarfon a threulio chwe blynedd yn fyfyrwraig yng Nghaerdydd. Bellach mae'n feddyg ym Mangor. Uchafbwynt ei gyrfa lenyddol hyd yma oedd bod y ferch gyntaf i ennill cadair Eisteddfod Genedlaethol yr Urdd am awdl.

Angharad Jones Ganed Angharad Jones yn Nolgellau ond fe'i magwyd yng Nghaerdydd. Ar ôl ymadael â'r coleg ym Mangor aeth i weithio i Radio Cymru. Er 1985 bu'n sgriptio rhaglenni teledu. Treuliodd gyfnod fel aelod o staff y Coleg Normal, Bangor. Yn 1984 enillodd Goron Eisteddfod Genedlaethol yr Urdd am nofelig a chyhoeddodd gyfrol o straeon byrion *Datod Cwlwm* yn 1990.

Nesta Wyn Jones Enillodd wobr Cyngor Celfyddydau Cymru am gasgliad o farddoniaeth yn 1969. Cyhoeddodd *Cannwyll yn Olau* a *Ffenest Ddu*, a chafodd wobr gan Gyngor Celfyddydau Cymru am y gyfrol *Rhwng Chwerthin a Chrio* a gyhoeddwyd yn 1986. Cyhoeddodd gyfrol o ryddiaith sef *Dyddiadur Israel* a chafodd ysgoloriaeth gan Gyngor y Celfyddydau yn 1991 i ysgrifennu'n llawn amser. Mae'n ffermio yn Abergeirw gyda'i gŵr a'i merch.

Elsie Kitchen Yn frodor o Hermon, Cynwyl Elfed ond erbyn hyn mae'n byw yng Nghaerfyrddin gyda'i gŵr a'i merch fach. Dilynodd yrfa nyrsio a bu'n athrawes nyrsio yn Ysgol Nyrsio Dyfed cyn geni ei merch. Mae'n aelod o Eglwys Efengylaidd Caerfyrddin ac yn ysgrifennu caneuon weithiau ar gyfer recordiau a thapiau Saesneg a Chymraeg y gantores gospel o Gynwyl Elfed, Nia.

Sioned Lleinau Jones Merch fferm o Bentrecagal ger Castellnewydd Emlyn yw Sioned Lleinau Jones, a'i gwreiddiau'n ddwfn yn yr ardal honno a'i diwylliant. Derbyniodd ei haddysg gynradd yn Ysgol Penboyr a'i haddysg uwchradd yn ysgolion gramadeg a dwyieithog Llandysul, cyn mynd yn ei blaen i astudio Cymraeg yng Ngholeg Prifysgol Cymru, Aberystwyth. Enillodd amryw o wobrau llenyddol, yn cynnwys y Goron yn yr Eisteddfod Ryng-golegol yn 1989 – y person ieuengaf i wneud hynny! Ar hyn o bryd, mae'n parhau â'i haddysg yn y Brifysgol gan wneud gwaith ymchwil i nofelau gan ferched.

Gwyneth Lewis Ganed yng Nghaerdydd yn 1959. Enillodd Fedal Lenyddiaeth yr Urdd dwywaith yn ystod ei chyfnod yn yr ysgol. Aeth i Gaergrawnt i astudio Saesneg ac yna i'r Unol Daleithiau am dair blynedd fel Cymrodor Harkness, gan astudio ysgrifennu ym Mhrifysgol Columbia. Treuliodd gyfnod yn Rhydychen yn gwneud doethuriaeth ar ffugiadau llenyddol. Bellach mae'n gweithio i gwmni teledu yng Nghaerdydd.

Siân Llewelyn Ganwyd yn Nolgellau, yna symud i Ddyffryn Clwyd. Erbyn hyn mae'n byw yng Nghaerdydd. Wedi graddio ym Mangor bu'n gyd-gyflwynydd cyfres deledu *Arwyddion Ffyrdd* gyda HTV. Mae hi wedi ysgrifennu ar gyfer radio a theledu, yn cynnwys *Merched yn Bennaf, Dinas* a *Pobol y Cwm*. Mae'r cerddi a gyhoeddir yma yn rhan o ddilyniant a grewyd ar gyfer cystadleuaeth Coron Bro Delyn 1991.

Nest Lloyd Ganwyd yn 1934. Treuliodd y rhan fwyaf o'i hoes yn chwilio gwaith addas gan weithio am gyfnodau fel teipydd-llawfer, gwaith llyfrgellyddol a gwaith fel athrawes. Treuliodd y blynyddoedd rhwng 1956 a 1958 mewn ysbyty meddwl. Erbyn hyn, y mae, yn ei geiriau ei hun, wedi 'ymddeol i fod yn hen ferch egosentrig a'i hunig uchelgais parhaol yw osgoi seiciatryddion'!

Ceridwen Lloyd-Morgan Magwyd yn Nhregarth, Sir Gaernarfon. Treuliodd ddeng mlynedd yn Lloegr a Ffrainc cyn dychwelyd i Gymru, ac er 1981 bu'n gweithio fel archifydd yn y Llyfrgell Genedlaethol yn Aberystwyth. Dros y blynyddoedd bu'n cyfrannu'n gyson i gylchgronau Cymraeg, Ffrangeg a Saesneg.

Esyllt Maelor Ganed ym Meirionnydd ac fe'i magwyd ym Mhenrhyn Llŷn ac yna treuliodd rhai blynyddoedd yn Arfon. Erbyn hyn, mae wedi ymgartrefu yn Llŷn ac yn byw yno gyda'i phriod a'u dau fab. Bu'n athrawes am gyfnod yn Ysgol Brynrefail, Llanrug. Er iddi sgwennu cryn dipyn yn ei harddegau dywed mai'r plant sydd wedi ei sbarduno i sgrifennu eto a chyhoeddi ei gwaith. Cyhoeddodd lyfr ar Edith Evans, Telynores Eryri ond hyd yn hyn bu'n 'gyndyn o ollwng ei gwaith i afael y byd'. Cerddi a enillodd iddi gadair Eisteddfod Dyffryn Ogwen y llynedd yw'r cerddi a gyhoeddir yma.

Eleri Morgan Ar ôl astudio'r gyfraith yng Ngholeg Prifysgol Cymru, Aberystwyth cafodd ysgoloriaeth i gael hyfforddiant newyddiadurol. Bu'n gweithio i HTV fel ymchwilydd cyn symud at y BBC fel newyddiadurwraig. Bu'n darllen ei barddoniaeth yn achlysurol, ac ymunodd â thaith Cicio'r Ciwcymbars yn Aberystwyth yn 1988, fel un o'r beirdd ifanc 'newydd'!

Nia M. W. Powell Ganwyd yng Nghaerdydd yn un o 'fabanod y Coroni' a'i magu yn y ddinas honno yn ystod y pumdegau a'r chwedegau. Wedi derbyn addysg yn Rhydfelen yn ystod dyddiau cynnar yr ysgol aeth i Goleg (cymysg) Prifysgol Cymru, Aberystwyth i astudio hanes ac yna i Goleg Girton, Caergrawnt yn ei ddyddiau olaf fel coleg digymysg i ferched i astudio'r gyfraith. Mae ar hyn o bryd yn rhannu'i gwaith a'i phleser rhwng darlithio yn adran Hanes Cymru'r 'Coleg ar y Bryn' ym Mangor a bod yn fam i Elen Huana, gan fyw ym mro'i hynafiaid yn Nanmor Deudraeth. Mewn dosbarth nos o dan law Gerallt Lloyd Owen y dysgodd drin y gynghanedd, ac mae'n dal i ddysgu yng nghwmni tîm talyrna Deudraeth.

Eluned Rees Ganed yn 1951. Magwyd yn Llwyndafydd, ger Cei Newydd, a Llangyndeyrn, Cwm Gwendraeth. Graddiodd yn y Gymraeg yng Ngholeg Prifysgol Cymru Aberystwyth. Treuliodd bymtheng mlynedd yn Llandrindod ond mae'n byw yn Rhydaman er 1988. Ar hyn o bryd mae'n athrawes fro. Yn briod â Mark, ac ym fam i ddau fab, Tomos ac Iwan sydd yn eu harddegau.

Elinor Wyn Reynolds Ganwyd ym Mhen-y-Bont ar Ogwr yn 1970 ond fe'i magwyd yng Nghaerfyrddin. Addysgwyd yn Ysgol y Dderwen, Ysgol Gyfun Bro Myrddin a Choleg Llanymddyfri. Graddiodd yn y Gymraeg yng Ngholeg Prifysgol Cymru, Aberystwyth. Mae'n cyfrif Maureen Lipman a Dewi Pws ymhlith ei harwyr. Ar hyn o bryd, mae bywyd yn un pantomeim mawr iddi, a gobeithia y bydd pethau'n aros felly!

Menna Thomas Bu'n byw ym Maesteg a Phen-y-Bont cyn symud i Bontypridd ryw bum mlynedd yn ôl. Cafodd ei haddysg yn Ysgol Gymraeg, Maesteg ac Ysgol Gyfun Rhydfelen ac ar ôl graddio yn Aberystwyth aeth yn ôl i Rydfelen i ddysgu Cymraeg a Sylfaen. Ei phrif ddiddordebau yw cerdd dant ac mae'n arweinydd Côr Merched y Garth.

Elin Wyn Williams Merch o Bontyberem, Cwm Gwendraeth yw Elin Wyn Williams, ac fe'i haddysgwyd yn ysgolion cynradd Bancffosfelen a'r Dderwen, Caerfyrddin, ac yna'n ysgol uwchradd Bro Myrddin. Graddiodd mewn hanes yng Ngholeg Prifysgol Cymru, Aberystwyth yn 1990, a threuliodd y flwyddyn ddilynol yn dilyn cwrs ysgrifenyddol ddwyieithog uwch yng Ngholeg Ceredigion. Enillodd Fedal Lenyddiaeth yr Urdd yn Nyffryn Nantlle.

Lis Woolley Ffermwraig sy'n byw yng Nghymru er 1983. Bu'n fyfyrwraig mewn coleg arlunio a chynllunio a bu'n gwneud gwaith amrywiol iawn fel cynorthwywraig mewn oriel yng Nghaerdydd a thywysydd ym Mhlasdy Longleat. Dechreuodd ddysgu Cymraeg yn 1984 ac aeth ymlaen i ysgrifennu rhyddiaith a barddoniaeth yn y Gymraeg. Mae'n fam i dri o blant a chanddi dri o wyrion.

51